Roman Reischl

Das dunkle Auge

Pen & Paper Literatur

Illustriert von Monika Reischl

Einleitende Worte

Liebe Leser,

Herzlich Willkommen zu grenzenloser Fantasie, Emotionen und somit zu meinem neuen Jugendroman „Das dunkle Auge“, der während der Corona-Pandemie 2020 entstand und die erste Veröffentlichung in unserem neuen Domizil in meiner Heimatstadt Bad Reichenhall ist.

Lesen ist für Kinder und junge Leute enorm wichtig, die geistige Entwicklung und auch das logische Denen wird damit gefördert. Mein süßer kleiner Sohn Emanuel wird allein schon vom Vorlesen der Kindergeschichten aus „Fantasia“ sehr profitieren. Meine ungeliebten Stieftöchter haben all das nicht erfahren, das Ergebnis spiegelt sich in deren Leistungen und bemitleidenswertem Lebensstil.

Herzliche Grüße,

Roman Reischl

Kapitel 1

Einsamkeit

Kein Stern erhellte die Nacht und auch das Madamal verbarg sein Gesicht hinten den Wolken, aus denen große Regentropfen vielen. Einsam und verlassen stand auf einer kleinen Anhöhe ein Wachposten, dessen Licht in der Ferne flackerte. Die schweren Stiefel des Schattens, der sich jenem näherte, sanken tief in den aufgeweichten Boden ein und die Geräusche wurden vom Plätschern des Regens übertönt.

Der hölzerne Turm war ungefähr drei Schritt hoch und bestand aus nicht viel mehr als einem einfachen Holzdach, das auf vier dicken Pfosten platziert wurde. In der Mitte stand eine winzige Feuerschale, dessen Licht unruhig auf das leicht vermoderte Holz fiel. Auf einem kleinen Hocker dicht am Feuer saß ein Soldat, sein Schwert neben ihm auf dem hölzernen Boden lag. Der Schatten konnte trotz des Regens, das rhythmische Schnarchen der Wache hören. Er beschleunigte den Schritt und zog rasch etwas aus einer seiner Tasche. Als er ihn erreichte, baute er sich hinter dem Soldat auf und hob bedrohlich die Faust. Mit voller Wucht ließ er sie auf ihm den Kopf niederfahren. Ein lauter Knall übertönte den Regen und der Kadett fiel mit der Schulter voran seitlich zu Boden. Mit verschlafener Miene schaute der jener hinauf zu dem Schatten. Es war ein älterer Mann mit langen braunen Haaren, dessen linkes Auge ergraut war.

Er trug ein Gambeson, der bis zu seinen Knien reichte und hielt einen Lederriemen in der Hand. Sein Blick ruhte auf dem Soldaten, der sich verschlafen die Augen rieb an diesem grauen Morgen mit zahlreichen Nebelschwaden, die durch die Wälder streiften.

„Ist es schon Zeit fürs Frühstück?“, erkundigte der Soldat und gähnte laut, während er sich desorientiert umschaute.

Er war ein junger Mann von 16 Götterläufen und kurz geschnittenen blonden Haaren, die im Wind tanzten. Auf seinem markanten Kinn wuchs schon der erste Flaum, der noch weit davon entfernt schien, als Bart bezeichnet zu werden.

„Frühstück?“, plärrte der ältere Mann wutentbrannt.

„Ich gebe dir gleich Frühstück, Lucas!“

Daraufhin griff er mit der rechten Hand an dessen Oberarm und zog ihn hoch.

„Bei den Zwölf in Mirabell! Ich hab wirklich alles versucht, um dir Vernunft und Disziplin beizubringen, aber anscheinend willst du nicht lernen!“

Lucas versuchte, sich dem Griff des Mannes zu entziehen, doch es nützte nichts und so zog der den Jungen hinter sich her in den kalten Regen.

„Aber ich habe doch Wache gehalten, so wie ihr wolltet Petros“, beschwerte sich der Kleine.

Der Mann riss Lucas nach vorne und warf ihn in das matschige Gras. Mit dem Gesicht voran fiel der Junge der Länge nach hin und der feuchte Boden tränkte dessen Kleidung. Er merkte, wie der Wind durch seine nassen Sachen blies und schlagartig fing er an zu frieren. Der Alte umkreiste ihn und schaute eiskalt in sein matschverdrecktes Gesicht.

„Erstens Bübchen, heiße ich Meister Petros für dich. Merk dir das endlich mal! Meinst du,

Wache zu halten bedeutet, einfach so einzuschlafen?“

„Ich habe doch…“, bemühte sich Lucas, sich zu verteidigen.

„Schweig! Was wäre, wenn Feinde angegriffen hätten? Meinst du, im Krieg machen die Gegner auch Halt, wenn sie sehen, dass du schläfst?“

Meister Petros hielt inne. Er sah, wie Lucas beschämt den Kopf senkte, sah, wie sein ganzer Körper vor Kälte zitterte.

„Jetzt steh auf bevor Boron dich kommen holt.“

Wortlos gehorchte der tapfere Bub. Dann machten sie sich wieder auf zur Akademie, wobei sich Lucas in seinen wärmenden Umhang vergrub.

Jene lag am Rande eines kleinen Waldes und bestand aus einem Turm aus Stein, dem Haupthaus und dem Übungsplatz. Umgeben wurde sie von einer zwei Schritte hohen Mauer, die ein einzelnes Tor besaß, vor der zwei Wachsoldaten standen. Die Soldaten schienen ebenfalls Lehrlinge der Akademie zu sein, jedoch waren sie deutlich älter als Lucas. Als sie Meister Petros sahen, salutierten sie mit dem traditionellen Fatimagruß.

Auf dem Übungsplatz angekommen sagte Meister Petros nur:

„Jetzt geh´ auf dein Zimmer, dort bleibst du, bis ich es sage!"

Lucas erkannte, dass es wenig Sinn machen würde, nun zu widersprechen, und fügte sich wortlos. Seine Kammer lag im Keller des Haupthauses, welches ungefähr dreißig Schülern Platz bot. Früher diente der Raum als Arrestzelle für widerspenstige Recken, da er aber die meiste Zeit hier verbrachte und ihn seine Kameraden aus dem Schlafsaal geworfen haben, wurde dies sein neues Heim. Das Zimmer lag in vollkommener Dunkelheit und besaß nicht viel mehr als ein Bett und ein Nachttisch, auf dem ein Gebetsbuch der Herrin Fatima lag. Kein Fenster erhellte den Raum und der Junge umarmte die Dunkelheit, wie einen alten Freund. Er mochte die Düsternis, jedoch nicht, weil seine Gedanken böser Natur waren, oder er verbotene Dinge anstellte, sondern weil sie ihm das gab, was ihm kaum jemand bot. Es gab keinen, der ihn so gut verstand, außer seinem Bruder und neben ihm gab es niemanden, dem er mehr traute, als er ihn hätte werfen können, weder Familie noch Freunde. Denn diese, oder Personen die Lucas als Kumpel ansah, gab es für ihn nicht.

Lucas knallte die Tür hinter sich zu und quälte sich aus den nassen Sachen. Erschöpft ließ er sich aufs Bett fallen und kauerte sich unter die Decke und starrte auf die Zimmerdecke. Seine Gedanken wanderten zum Vater, der ihn vor Jahren hierhin schickte, um eine kriegerische Ausbildung zu absolvieren. Lucas´ Papa war ein wohlhabender Kaufmann, der sein Geld vor allem mit dem Handel von wertvollen Gewürzen, Stoffen und Schmuck verdiente. Während sein Bruder Florian von einem reisenden Magier als „Naturtalent“ bei der Akademie Lanterna empfohlen wurde, war Lucas eher der Taugenichts der Familie. Es machte sich nicht viel daraus Bücher zu lesen oder, zu studieren, sondern verbrachte die Zeit lieber mit sinnlosen Aktionen. Als er jedoch älter wurde und der Vater in ihm keinen würdigen Erben sah, schickte er ihn auf die Kriegerakademie in Weiden, wo er lernen solle, was es heißt, ein richtiger Mann zu sein. Doch in den Jahren hatte sich sein Verhalten kaum geändert, er war undiszipliniert und verbrachte die meiste Zeit damit, den Küchendamen hübsche Augen zu machen. Er wurde schon oft dafür mit Stubenarrest bestraft, doch das kümmerte ihn nicht mehr sonderlich. Solange sein Vater die Schule bezahlt, würden sie ihn auch weiter unterrichten.

Am nächsten Morgen wurde er durch das Rascheln von Schlüsseln an seiner Tür geweckt. Verschlafen blickte er sich um.

„Wer ist da?“, fragte er in die Dunkelheit.

„Befehl von Meister Petros“, ertönte es nur hinter der Tür und kurz darauf entfernte sich die Person fröhlich pfeifend und mit kräftigen Schritten.

Entmutigt ließ er den Kopf auf das Bett fallen. ‚Beim Namenlosen‘, dachte er sich.

Es war nicht das erste Mal, dass sie ihn eingesperrt hatten als Bestrafung, und jedes Mal wurden die Zeiten, die er in der Abschottung verbringen musste länger. Dabei war es nicht die

Dunkelheit, die ihn störte, sondern vielmehr die Langeweile, die ihm abermals die Kräfte kostete.

Minuten fühlten sich an wie Stunden und jene kamen ihm vor wie Tage. Das erneute Rascheln an der Tür riss ihn aus seinen Träumen und ein kleiner Schlitz am Türboden öffnete sich, aus dem Licht in das Zimmer fiel.

„Dein Essen, Lucas", hörte er nur eine raue Stimme und bemerkte, wie ein Tablett hindurch geschoben wurde.

Dann schloss sich die Luke wieder und er war erneut alleine. Die Zeit verging und während er im dunklen Zimmer hockte, verlor er immer mehr das Gefühl für die Zeit. Bis auf das tägliche Essen kam niemand sonst vorbei. Nur er. Die Stille. Das Tapsen der Mäuse. Das Knarren der Tür.

‚Wie lange ich wohl hier bin?', fing er an zu zählen, doch bald verliefen sich seine Gedanken und wanderten an einen anderen Ort: Patalavaca, die Küste, das Meer, der Geruch des Salzes.

Ein Geräusch. Er sprang aus dem Bett und schlich zu Tür. Da war jemand.

„Ja? Meister Petros?“, rief er, wobei ihm seine eigene Stimme fremd vorkam.

„Psst! Ich bin es, Lucas.“

Er brauchte einen Moment um die Stimme zu erkennen. Es war Sonja die Küchenmagd, in die er sich vor ein paar Monden verliebt hatte. Das sagte er ihr zumindest immer, denn im Inneren wusste er, dass dies nicht der Fall ist. In Gedanken malte er sich ihre langen schwarzen Haare aus, den Duft ihrer Haut und schon oft genug hatte er sich während der Wache davon gestohlen, um die Nacht mit ihr zu verbringen.

„Ach du bist es“, folgerte er schließlich und rutschte mutlos die Tür hinunter.

„Wie lange bin ich schon hier?“

„Bis jetzt gab es vier Praiosläufe“, antwortete sie mit besorgter Stimme.

„Ich habe gehört wie Meister Petros mit seinen Lehrern über dich gesprochen hat. Sie haben darüber geredet ob sie dich von der Akademie werfen."

Lucas winkte verächtlich ab.

„Das können sie nicht. Solange mein Vater."

Er schreckte auf. Oben wurde eine Tür zugeknallt.

„Ich komme nachher wieder", versprach sie und er hörte, wie sich ihre Schritte entfernten.

Gelächter hallte durch den Gang und die Stimmen zweier Männer kamen auf sein Zimmer zu. Einer der beiden schlug machtvoll mit der Faust gegen die Tür und rief:

„He Lucas. Meister Petros will dich sehen, steh auf."

Es folgte lautes Gelächter und die Tür wurde aufgeschlossen. Das Licht blendete ihn und mit einem hämischen Grinsen standen ihm zwei junge Kerle gegenüber, die vielleicht gerade einmal einen Götterlauf älter waren als er selbst. Einer der Männer packte ihn und schubste ihn vor sich zur Treppe des Kellers.

Das Sonnenlicht brannte in seinen Augen und er nahm nur Holz wahr, das auf einander knallte und hier und da das Klingen von Stahl. Langsam gewöhnte er sich an das Licht und sah, dass der Übungsplatz voll mit jungen Kriegern war, die fleißig ihre Übungen verrichteten.

„Bicht einschlafen", befahl eine der Wachen und schubste ihn in Richtung von Meister Petros, der etwas abseits stand.

Als sie ihn erreichten, blickte dieser nur emotionslos auf Lucas und bedeutete den anderen Beiden wieder ihre Übungen aufzunehmen. Für einen Moment herrschte schweigen.

Als Lucas das Wort an den Meister richtete, sprach dieser:

„Wir haben eine Entscheidung getroffen, Lucas."

Meister Petros seufzte.

„Junge, wir haben alles versucht, aber du willst anscheinend nicht lernen. Deshalb werden wir dich von der Akademie ausschließen."

Der Kleine blickte den Lehrmeister entgeistert an.

„Das könnt ihr nicht machen. Ich werde mich bessern. Bei den Zwölf, ich verspreche es“, verteidigte sich der Junge, doch der Meister schüttelte nur den Kopf.

„Dafür ist es zu spät, mein Sohn.“

„Wenn mein Vater davon erfährt…“, stieß Lucas wutentbrannt heraus.

„Drohst du mir, Bursche?“, antwortete Petros nur kühl und sah, wie der Junge die Fäuste ballte.

„Außerdem ist dein Vater schon unterwegs. Wir erwarten ihn gegen Abend.“

Lucas senkte den Blick.

„Geh´ und pack deine Sachen. Heute Abend verlässt du diese Akademie.“

Damit wandte sich Petros ab und ließ den armen Lehrgesellen allein. In dessen Zimmer setzte er sich für einen Moment auf das Bett. Es war seine Schuld, dass er gehen musste. Wie sein

Vater wohl darauf reagieren würde? Für ihn war Lucas sowieso nicht mehr als ein Taugenichts, dessen bloße Anwesenheit ihm nie behagt hatte. Deswegen erwarb der alte Herr auch einen Platz in einer Akademie, die möglichst weit von Patalavaca entfernt lag, doch Lucas wollte nicht wieder zurück nach Hause. Dort, wo er sowieso nur als Ballast und Schande für den Vater angesehen wurde, lagen definitiv nicht sein Glück und die Zukunft.

„Darf ich eintreten?“, fragte eine liebliche Stimme und riss ihn aus seinen Gedanken.

Es handelte sich abermals um Sonja, die in ihrem hellbraunen Kleid in der Tür stand und nervös an ihren Haaren spielte.

„Ja gewiss“, entgegnete Lucas.

Das süße Mädchen setzte sich neben ihn auf das Bett und legte die Hand auf sein Knie.

„Was hat Petros gesagt?“, fragte sie. Er schaffte es nicht, ihr in die Augen zu schauen, sondern starrte nur zu Boden.

„Ich muss die Schule verlassen“, erzählte er ihr schließlich.

Er spürte, wie sie ihre Hand wegnahm.

„Was wirst du jetzt tun?“, fragte sie mit zitternder Stimme.

Er blickte sie lange an und sagte dann:

„Komm doch mit mir.“

„Wie bitte?“, entkam es ihr sichtlich entgeistert.

„Komm mit mir nach Patalavaca. Wir könnten dort zusammen leben.“

Für einen Moment herrschte Schweigen.

„Wovon sollen wir leben?“

Sonja schüttelte den Kopf mit der rotblonden Mähne.

„Ich könnte meinem Vater helfen, oder als Fischer arbeiten.“

„Du auf hoher See?“

Bei dieser Frage schaute sie Lucas an, als ob jener einen bösen Scherz in den Raum war.

„Ich könnte auch..", fuhr er fort, aber sie unterbrach ihn:

„Lucas, seit dem ich dich kenne hast du noch nie etwas gemacht."

„Das stimmt nicht ich."

Er überlegte, doch bei den Göttern, es fiel ihm nichts ein. Schweigend stand Sonja auf und schritt auf die Tür zu.

„Wenn du es wirklich ernst meinst, dann komm morgen zu mir.", schlug sie vor und drehte sich zu ihm um. Mit glasigen Augen schaute sie ihn an.

„Ich hoffe wirklich, du folgst mir."

Mit diesem Satz verließ sie die Kammer des unglücklichen Recken.

Als Lucas mit seinen Sachen aus dem Keller auf den Übungsplatz hervortrat, sah er eine Kutsche durch das Tor fahren. Er kannte jene nur zu gut, genauso wie den dicklichen Mann, der sich bemühte, aus der Tür zu zwängen. Sein Vater war in den vergangenen Götterläufen noch dicker geworden, als Lucas ihn in Erinnerung hatte. Der rundliche Körper war eingehüllt in teure Hemden aus Samt, und die Brust ging übergangslos in den Kopf über, zumindest sah es so aus. Mit den Händen kramte er ein kleines Taschentuch hervor und tupfte sich damit seine Schweißtropfen von der Stirn. Schon von weitem erkannte Lucas die auffälligen Ringe und Ketten aus Silber und Gold, die sein Vater gerne trug. Sie funkelten hell im untergehenden Schein der Praiosscheibe.

Meister Petros eilte ihm entgegen und wies ihm den Weg zu einer kleinen hölzernen Bank. Lucas seufzte und versuchte sich zu beruhigen, während er langsam auf sie zu schritt.

„Ach diese Hitze bringt mich noch um“, klagte sein Vater und strich mit dem Taschentuch über seine Glatze.

Dabei war es, obwohl den ganzen Tag die Praiosscheibe schien, relativ mild.

„Sagt, Meister Petros, wie haltet ihr das bloß aus?“

„Nun mein Herr Fidian, wenn man den ganzen Tag unter der Praiosscheibe umherläuft, gewöhnt man sich schnell daran.“

Lucas verlangsamte seinen Schritt. Er wollte eigentlich gar nicht mit dem Vater reden.

„Sohn, komm näher“, rief dieser nur und winkte ihn wie einen Diener zu sich.

„Was habt ihr so dringendes mit mir zu besprechen, dass ich unbedingt aus Salzburg anreisen musste?“

Lucas war verwundert, denn eigentlich lebte sein Vater in Patalavaca.

„Nun, um ganz offen zu sprechen, Herr Fidian, die Leiterin der Akademie Hildegard von Gerldwalden, ich sowie die führenden Lehrer sind zu dem Schluss gekommen, euren Sohn nicht länger zu unterrichten“, erwiderte der strenge Oberstudienrat.

Der Vater brach in schallendes Gelächter aus.

„Ihr beliebt zu scherzen, Meister Petros. Ich weiß, Lucas ist etwas schwierig, deswegen übergab ich ihn eurer Akademie, damit er Disziplin lernt, falls es eine Frage des Geldes ist?“

„Nein, das ist es nicht“, unterbrach ihn Meister Petros, wobei sein Ton scharf und befehlend klang.

„Euer Sohn meint am Unterricht nicht Anteil nehmen zu müssen. Er schläft regelmäßig während des Wachdienstes ein und was noch schlimmer ist, dass er während des Wachdienstes die Zeit lieber den Vergnügungen Carinas mit irgendwelchen Mägden nachgeht.“

Sein alter Herr blickte wütend auf Lucas, dessen Kopf beschämt zu Boden gesenkt war.

„Ist das so?“, erkundigte sich der Vater mit vor Zorn bebender Stimme.

Ein paar Momente sah er den Jungen anklagend an und sagte dann schließlich:

„Steig´ in die Kutsche.“

Wortlos gehorchte dieser, und auf dem Weg hörte er, wie die beiden Männer sich weiter unterhielten, was sie sagten, vermochte er nicht zu hören.

Als der Vater nach einiger Zeit endlich in die Kutsche stieg, schwankte diese unter dessen Gewicht unruhig hin und her. Er setzte sich entgegen der Fahrtrichtung gegenüber seinem Sohn hin und wischte sich wieder den Schweiß vom Kopf. Dann klopfte er mit der Faust gegen die Rückwand und die Kutsche setzte sich in Bewegung. Lucas starte aus dem Fenster des kleinen Gefährts und sah, wie die Akademie immer winziger wurde, bis sie schließlich am Horizont verschwand.

„Kannst du dir eigentlich ausmalen, wie sauer ich auf dich bin?“, begann sein Vater, doch Lucas starte weiter aus dem Fenster.

Eine Ohrfeige traf ihn mitten ins Gesicht.

„So, jetzt hör mir zu Bursche, denn ich bin es langsam leid mit dir!“

Lucas blickte seinen Vater tief in die Augen und rieb sich die schmerzende Wange.

„Du bist eine Schande, weißt du das? Nichts kannst du richtig machen. Die Götter haben mich wirklich mit dir gestraft.“

Sein Vater holte Luft und tupfte sich wieder mit seinem Taschentuch den Schweiß von der Stirn.

„Dein Bruder ist so talentiert, wieso kannst du nicht etwas mehr sein wie er?“

Jetzt ging das wieder los. Immer wurde Lucas mit seinem Bruder verglichen. Ja, jener war wesentlich fleißiger als er, das musste er eingestehen. Nicht, dass er neidisch darauf wäre, aber er mochte es nicht, wenn sein Vater ihn mit ihm verglich. Was jetzt folgte, schienen die üblichen Lobpreisungen für Florian, welche Lucas schon im Schlaf kannte.

Sein Bruder der Gelehrte, der elementum ignis scolasticus, Magus des Feuers und Absolvent des ersten Kreises der Elemente. Lucas hasste jenen nicht dafür, er mochte ihn, auch wenn er von anderen als arrogant und egoistisch bezeichnet wurde. Sein Bruder pflegte immer zu sagen:

„Geistige Überlegenheit kann schon mal für das ungebildete Volk als Arroganz gesehen werden.“

Der Bub hatte bisher nicht ein Wort davon verstanden, aber es hörte sich immer gut an.

„Gut dann wäre das entschieden“, holte sein Papa weiter aus und diese Worte rissen Lucas aus seinen Gedanken.

Die Kutsche hielt an und fragend schaute der Schüler nach draußen. Die Dämmerung war bereits angebrochen und die letzten Strahlen der Praiosscheibe erhellten den Himmel.

„Was ist entschieden?“, hakte er nach.

Der alte Herr zeigte nur wortlos auf die Tür der Kutsche. Lucas stand auf und öffnete sie, doch als er hinausblickte, sah er weder ein Dorf, noch eine Taverne, in der sie hätten übernachten können.

„Aber...“, fuchtelte Lucas herum.

Ein kräftiger Schubs von hinten folgte und er verlor das Gleichgewicht. Mit den Armen rudernd fiel er nach vorne auf den harten Boden des Weges. Ein Schmerz durchfuhr seinen ganzen Körper und benommen hört er die Geräusche der Kutsche hinter sich. Verwirrt und mit schmerzenden Knien versuchte er, wieder auf die Beine zu kommen, doch es gelang ihm nicht. Er hob den Blick und sah wie sich die Kutsche rasch entfernte.

Gleich würde sein Vater anhalten und ihn wieder zurückholen, dachte sich der Junge, und tatsächlich, die Kutsche wurde kurz darauf langsamer. Lucas lächelte innerlich und wollte sich gerade erheben, doch sein Vater hegte keineswegs den Wunsch, seinen Sohn mitzunehmen, sondern warf nur dessen Sack in einem hohen Bogen aus dem Fenster heraus.

Wortlos und auf dem Weg hockend betrachtete Lucas, wie die Kutsche sich weiter entfernte, daraufhin verschwand sie in der fortschreitenden Dunkelheit. Er war nun allein und besaß nicht viel mehr als die Sachen im Rucksack, der ein paar Schritt entfernt lag, und ein paar Silbertaler in seiner Tasche.

Kapitel 2

Die Pfadsucherin

Einen Moment lang blieb er noch auf dem Weg sitzen und blickte sich um. Was sollte er jetzt tun? Er kratzte sich am Kopf, langsam rappelte er sich auf und wartete, bis sich seine Augen an die Dunkelheit gewöhnt hatten. In der Ferne erkannte er nichts, was auf eine Stadt, ein Dorf oder ein Häuschen hinwies außer einer dunklen Einöde, also machte er sich auf den Weg, weiter entlang zu schreiten.

Das Madamal stand mittlerweile hell am Himmel und schien durch die dünnen Wolken, die sich ab und an davor schoben. Er war bereits Stunden unterwegs und die Füße taten ihm weh, als er nicht mehr konnte, fiel er erschöpft auf die Knie und tastete nach dem weichen Gras. Mit zerzausten, schwarzen Haaren wickelte er sich in seinen Umhang und sackte neben der Straße zusammen.

Mit den ersten Strahlen der Praiosscheibe erwache der junge Lucas langsam und nachdem er sich gestreckt hatte, blickte er sich verschlafen um. Immer noch keine Spur von einem Dorf, wo er sich verpflegen darf und sein Magen verkündete Hunger mit einem lauten Knurren. Da er annahm er würde nach Hause fahren, hatte er kein Essen mitgenommen, und mit den drei Silberstücken und paar Heller, die er in der Tasche hatte, konnte er ohne Wirt oder Bäcker auch nichts anfangen. Er seufzte, denn wo sollte er jetzt etwas zu essen bekommen? Obwohl seine Beine noch leicht schmerzten, richtete er sich auf und marschierte wieder den Weg entlang, denn eine andere Möglichkeit gab es nicht.

Als er wenig später ein kleines Dorf erreichte, stand die Praiosscheibe schon hoch am Himmel und brannte erbarmungslos auf seine Haut, an manchen Stellen war sie bereits deutlich gerötet und sein Nacken schmerzte mit jeder Bewegung. Erschöpft ließ er sich im Schatten eines kleinen Baumes nieder und betrachtete das Dorf etwas genauer. Die Hütten, die ringsherum verstreut standen, wirkten wie Unterkünfte einfacher Bauern. Manche Türen waren offen, um den frischen Wind Einlass zu gewähren. Hier und da spielten ein paar Kinder, oder unterhielten sich Leute, die ihn ab und an musterten. Sein Magen knurrte wieder und diesmal lauter als zuvor und als er sich gerade aufrichten wollte, um etwas Essbares zu finden, hörte er ein Rascheln und kurz darauf merkte er, wie ein harter Gegenstand auf seinen Kopf fiel. Verwundert rieb er sich die Stelle und blickte nach oben, doch es war nicht zu erkennen außer grüne Blätter. Dann richtete er seine Augen auf das Objekt, das vom Himmel fiel, es war ein roter Apfel, der jetzt einladend vor ihm lag. Er zögerte nicht lange und griff gierig danach, die Bissen, die er machte, waren so groß, dass er sich fast den Kiefer verrenkte und innerlich dankte er allen zwölf Göttern.

„He, tala, das war meiner", schallte eine weibliche Stimme.

Lucas blickte sich verwundert um, sah aber niemanden neben sich. Er zuckte mit den Achseln und schmatzte weiter vor sich hin, denn noch nie hat ihm ein Apfel so gut geschmeckt.

„He, ich rede mit dir."

Schon wieder erklang diese Stimme und der Junge blickte nach oben. Hatte er jetzt den Verstand verloren und hörte wirres Zeug in seinem Kopf? Nun funkelten ihn aus dem Baum zwei helle Augen an, war da etwa jemand? Er blickte genauer hin, doch erkannte neben dem Grün nur diese unheimlichen Blicke.

„Zwölf zum Gruße?“, fragte er nach oben, wobei er sich albern vorkam.

„Du kannst ja doch reden!“, ertönte es und er bemerkte, wie diese Augen näher kamen. Mit jedem Finger, den sich jene näherten, erkannte Lucas immer mehr die Person, die sich im Baum versteckte. Ein liebliches Gesicht kam zum Vorschein, das umrandet wurde von langen blonden Haaren. Als Kleidung trug sie eine Lederrüstung, wie Lucas sie von Geschichten über Elfen her kannte, in der einen Hand hielt sie ein kleinen Jutesack, und bewegte sich mit einer Geschmeidigkeit, wie er es noch nie gesehen hatte.

„Entschuldigt, ich wusste nicht das es euer Apfel ist“, antwortete Lucas, wobei er immer noch der Meinung war, dass er sich die Person nur einbildete, denn Elfen lebten in diesen Gegenden sehr selten.

„Wie heißt du, tala?“, erkundigte sich die Elfe lächelnd.

„Lucas und..“

„Hey Bursche!“, schrie jemand von weitem und der Junge blieb der Bissen fast im Hals stecken.

Ein kräftiger Mann humpelte auf ihn zu, der einen Gehstock drohend in die Höhe hielt und als er näher kam, baute er sich bedrohlich vor dem Jungen auf.

„Wo haschte denn den Apfel her, Bub?“, fragte er Lucas scharf, der seelenruhig weiter vor sich hin schmatzte.

Der Mann schien zornig zu sein und das Gesicht wirkte, selbst durch den dicken Bart hindurch äußert angespannt zu sein. Seine kräftigen Oberarme packten nach dem Jungen und zogen ihn hinauf.

„Los mach den Mund auf!“, forderte er Lucas auf.

„Zwölf zum Gruße! Aus dem Baum natürlich“, erwiderte der Junge freundlich, denn er hatte ja durchaus die Wahrheit gesagt.

„Ich gebe dir gleich Zwölf auf den Hintern!“, brüllte der Mann ihm fast ins Gesicht.

„Die einzigen Apfelbäume hier sind bei meinem Hof. Gib´ zu, du hast dir eben einen ganzen Sack voll genommen, ohne dafür zu bezahlen.“

Daraufhin griff der Mann nach Lucas´ Stoffrucksack und warf den ganzen Inhalt zu Boden.

„He, was fällt euch ein!“, rief er empört und fing an seine Sachen wieder einzusammeln.

„Wo sind meine Äpfel, Junge. Und bei Praios, rede wahr!“, fauchte ihn der Mann wütend an, wobei er den Finger mahnend zum Himmel erhob.

„Ich habe doch gesagt, er ist vom Baum gefallen“, bekräftigte der Junge, während er seine Sachen wieder in den Rucksack stopfte.

Der Mann hob nun den Blick und verwirrt stocherte er mit seinem Gehstock im Baum herum. „Aua“, ertönte es und der Mann schaute angestrengt zwischen die Äste.

„Du schon wieder!“, schrie der Mann jetzt und fuchtelte wütend mit dem Stock herum.

Lucas blickte auf und sah die Elfe, die zwischen den Blättern Schutz suchte.

„Verfluchtes Elfengör, komme da sofort runter!“

Die Hiebe des Mannes wurden energischer, aber die Elfe wich gekonnt aus.

„Ach ihr könnt die auch sehen!“, platzte Lucas verwundert heraus.

„Bei den Göttern natürlich kann ich sie sehen“, erwiderte der Mann nur.

Das Rascheln über ihren Köpfen wurde lauter und mit einem großen Satz sprang die Elfe aus den Baumkronen hervor und landete nur wenige Schritt entfernt, dann drehte sie sich den Beiden zu, winkte und sagte:

„Wir sehen uns dann, Lucas.“

Daraufhin lief sie, so schnell sie konnte davon.

Lucas erwiderte unbewusst den Abschiedsgruß der Elfe. Warum, das wusste er selbst nicht so richtig.

„Du kanntest sie also!“, hörte er Zähne knirschend hinter sich.

Noch bevor er einen anderen Gedanken fassen konnte lief der Junge so schnell wie möglich der Elfe hinterher und wich dabei den Menschen aus, die vom Lärm angelockt wurden. Er sprang über einen kleinen Zaun und lief weiter zu einem Waldrand, wo er die Elfe noch eben gesehen hatte. Äste peitschten ihm ins Gesicht, Sträucher zerkratzten seine Haut, ein Ast auf dem unübersichtlichen Boden und er fiel mit dem Kopf voran in hin. Er spürte noch, wie er einen Abhang hinunter rollte und am Ufer eines kleinen Baches zu Stehen kam.

Mit dem Kopf gen Himmel blieb er eine Weile liegen, um seinen Atem wieder zu finden. Er schloss die Augen und hörte Vögel, deren Gesang vom Wind getragen wurde. Das Plätschern des Baches neben ihn und ein Kichern unterbrach ihn, er schreckte auf und da war sie, ihr Gesicht ganz dicht an seinem.

„Ah!"

Reflexartig und vor Schreck hob er die Arme und schubste sie von sich fort.

„Au", ertönte es.

„Ich wollte nur wissen ob du noch lebst, tala."

Lucas sah zu ihr auf, noch immer etwas benommen.

„Verzeih du hast mich erschreckt", antwortete er und versuchte langsam sich auf seine Knie zu bringen.

Er blickte zur Elfe, die von dem Lauf überhaupt nicht erschöpft wirkte, aber irgendwas missfiel Lucas. Sie hatte weder die typischen Ohren, wie man es von einem Elf erwartet und auch sonst kam es sehr selten vor, dass ein Elf alleine unterwegs ist.

„Wer bist du?", erkundigte sich der Junge, als er seinen Atem wieder gefunden hatte.

Das Mädchen musterte ihn und holte aus:

„Mein Name ist Pfadsucherin."

Innerlich lachte Lucas nun, denn welche Eltern würden ihrem Kind einen solchen Namen geben.

„Bist du eine Elfe?“, wurde er neugierig, doch er bekam keine Antwort, sondern sah nur, wie sie die gestohlenen Äpfel in ihrem ledernen Rucksack verstaute.

An jenem hing ein kleiner Bogen, dessen Griff kunstvoll verarbeitet war.

„Hübsches Gerät, woher hast du ihn?“, fragte er erneut.

Immer noch hüllte sich das Mädchen in Schweigen, dann hob sie den Blick und Lucas erkannte eine tiefe Traurigkeit in ihnen. Sie stand auf und sagte nur irgendetwas in einer Sprache, die er nicht verstand und trat sich durch eines der Gebüsche.

„Warte!“, rief Lucas ihr hinterher und kämpfte sich ebenfalls durch das Grün, doch als er auf die andere Seite spähte, sah er sie schon nicht mehr.

Wütend tappte er wieder zum Bach, wo er seinen Beutel hatte liegen lassen. Vielleicht war er ohne sie besser dran, sie hatte ihm das Ganze ja erst eingebrockt.

Er überlegte, wohin er gehen sollte. Zurück ins Dorf konnte er auf keinen Fall, getrieben vom Durst marschierte er zum Bach und schöpfte mit den gefalteten Händen das Wasser. Das kühle Nass lief seine vertrocknete Kehle hinunter und er fühlte sich sofort etwas erholter. Es schien das Beste zu sein, erst einmal in Nähe des Ufers zu bleiben, und Feuerholz zu sammeln, dachte er laut vor sich hin und so folgte er gemütlich dem Bach stromaufwärts bis er zu einem geeigneten Platz ankam um dort die Nacht zu verbringen. Auf dem Weg sammelte er trockene Stöcke ein, um sich später ein Feuer daraus machen zu können. Er hatte schon oft gesehen, wie die Lehrer so etwas bewerkstelligten und meinte, so schwer sei das ja nicht.

Das Entzünden des Holzes gestaltete sich aber weitaus schwieriger, als Lucas vermutete. Egal wie lange er die Stöcke aneinander rieb, die Flamme entfachte sich nicht und langsam wurde es merklich dunkler im Wald, fluchend warf der Junge das Holz zur Seite. Mürrisch ließ er sich ins Gras fallen und dachte überlegte, wie es weitergeht? Vor allem was sollte er machen? Für den Besuch einer anderen Akademie war er bereits zu alt und zu arm. Er könnte als Söldner von Ort zu Ort ziehen, denn während seiner Zeit in der Schule hatte er schon verschiedenste jener kennen gelernt, aber immer von Ort zu Ort ohne Ziel, das schien auch nicht ratsam zu sein. Früher hatte er davon geträumt ein berühmter Held zu sein, Mägde zu retten und Abenteuer zu bestehen, doch diese Vision war bereits in weite Ferne gerückt.

„Du machst das ja völlig falsch", ertönte es plötzlich neben ihm und er seufzte.

Sie schon wieder, wieso ging und kam sie einfach, wie es ihr beliebte? Er hob den Kopf und sah wie sie mit den Stöcken ein kleines Feuer entzündete. Im schwachen Licht erkannte er, dass ihre Augen leicht gerötet waren, offensichtlich hatte sie geweint und Lucas hielt es für besser, sie nicht darauf anzusprechen. Er wollte sie nicht wieder verjagen, denn sie konnte doch noch von großem Nutzen für ihn sein. Eine Weile saßen beide schweigend am Feuer und starrten in die Leere und das Knistern des wurde übertönt vom Gesang der Eulen, die sich irgendwo in den Bäumen versteckten, und dem gelegentlichen Rascheln des Unterholzes. Jedes Mal schaute sich Lucas nervös um, das Mädchen bemerkte dies, denn sie setzte sich dichter neben ihn und sagte:

„Hab keine Angst, hier droht dir keine Gefahr.“

Wortlos blickten sie einander an.

Das plötzliche Knurren von Lucas Magen unterbrach diese kurze Stille, er errötete und das Mädchen fing an zu Lachen. Dann kramte sie etwas aus ihrem Rucksack und hielt es ihm hin. „Nimm“, forderte sie und schob ihm den Apfel in die Hand.

Sofort machte sich er über den jenen her.

„Hab Dank“, nuschelte er mit vollem Mund, wobei er diese Worte unverständlicher hervorbrachte, als er wollte, und dabei vielen vereinzelt Stücke aus seinem Mund zu Boden.

Mit kindlichen Augen beobachtete ihn die Elfe, oder der Mensch, Lucas war sich immer noch nicht sicher, was sie war.

„Woher kommst du, tala?“, fragte sie, als vom Apfel nicht mehr als nur noch das Kerngehäuse übrig blieb.

„Geboren bin ich in Patalavaca, aber die meiste Zeit habe ich in der Akademie Schwert und Schild zu Bahilio verbracht“, antwortete Lucas.

Er wusste nicht, ob es klug war nach ihrer Herkunft zu fragen, also schwieg er lieber.

„Und was machst du dann hier, ganz alleine?“, löcherte ihn das Mädchen weiter.

„Nun, ich wurde von der Akademie geworfen, da ich zu faul war, und mein Vater hat mich mitten in der Nacht aus der Kutsche geworfen, weil ich ein Nichtsnutz bin“, gab er trocken zu.

Verwunderung lag in den Augen des Mädchens, aber da war noch mehr, etwas das Lucas nicht einordnen konnte, zumal er bei den Göttern kein Menschenkenner war, oder Elfenkenner.

Daraufhin richtete sie wieder den Blick zum Feuer und nach einiger Zeit, er war nicht im

Stande zu sagen wie lange, sagte sie schließlich mit trauriger Stimme.

„Ich bin eine Halbelfe.“

Der Junge hob vor Bewunderung die Augenbrauen, von solchen hatte sein Bruder ihm einmal erzählt, als er ihn mit seinem Magnus besuchen kam. Er selbst hatte aber noch nie einen gesehen, doch in den Geschichten, von denen ihm sein Bruder berichtete, waren Halbelfen oft böse Geschöpfe, die ihre Magie und Macht missbrauchten. Sicherlich gab es auch Menschen, die dies taten, genauso, wie es Elfen, Zwerge und Orks gab, die sich dem Namenlosen verschrieben hatten. Halbelfen werden besonders wegen ihrer Fremdartigkeit von Menschen gemieden. Vor allem von Elfen wird jene Mischform nicht akzeptiert und Lucas´ Bruder hatte ihm erklärt, warum dies so ist, jedoch hatte es der Junge damals nicht verstanden.

„Was machst du dann hier alleine im Wald?“, fragte Lucas vorsichtig.

Als er sah, wie sich die Augen des Mädchens wässrig wurden, bereute er diese Frage.

„Meine Sippe hat mich verstoßen....“, wimmerte sie mit kaum vernehmbarer Stimme.

Im Inneren fühlte er Mitleid für sie und doch Sympathie, denn sie war wie er. Beide wurden von ihrem Zuhause verstoßen und alleine, ohne einen Platz im Leben.

„Ich bin müde“, stammelte sie, nahm ihren Umhang und vergrub ihr Gesicht tief im Stoff.

So lag sie dicht neben Lucas, der nachdenklich in der Glut rumstocherte. Oft ertappte er sich dabei, wie sein Blick auf die Halbelfe fiel und sah, wie sich der Stoff langsam hob und senkte, hörte ihren leisen Atem. Obwohl er sie kaum kannte, fühlte er sich auf eine Weise mit ihr verbunden, wie er es sonst nur bei seinem Bruder tat. Mit diesen Gedanken war er nicht allein, träge und hypnotisiert von dem leisen Plätschern des Baches, fielen auch ihm bald die Lieder zu.

Als er am nächsten Morgen erwachte, lag er ganz dicht, neben ihr im Gras, sie hatte den Kopf, anscheinend unwillkürlich, an seine Brust gelehnt, und Lucas hörte ihren leisen Atem. Sie roch nach frischen Blüten. Die Kapuze, in die sie ihren Kopf eingehüllt hatte, bedeckte ihren Kopf nur noch bis zu Hälfte, und die langen Haare lagen ringsherum verstreut. Hin und wieder murmelte sie etwas vor sich hin, zumindest glaubte der junge Kerl, das es Worte waren, doch er verstand sie nicht. Einige Zeit blieb Lucas noch so neben ihr liegen und beobachtete sie still, unbewusst führte er eine Hand zu ihrem Gesicht und strich ihr die Haare zur Seite, er berührte ihre weiche Haut. Sie rückte näher an ihn heran und hob langsam den Kopf. Mit verschlafenen Augen blickte sie Lucas an, dann legte sie ihren Arm um ihn und vergrub den Kopf an seiner Brust. Er spürte ihre Wärme.

„Lass uns noch ein wenig hier liegen bleiben“, säuselte sie mit leiser Stimme.

Lange Zeit lagen beide Arm in Arm auf dem Boden des Waldes, und lauschten dem Gesang der Vögel.

„Wohin wirst du gehen?“, fragte Lucas schließlich, wobei er diese Frage selbst nicht beantworten konnte.

„Ich weiß es nicht“, entgegnete sie zaghaft und hob langsam den Blick.

„Du?“, holte sie aus, wobei sie Lucas tief in die Augen schaute.

Dieser fing an sich nervös am Kopf zu kratzen. Wohin? Das war in der Tat eine gute Frage.

Dann viel es ihm ein.

„Salzburg“, schoss es plötzlich mit einem breiten Grinsen aus ihm heraus.

„Dort werde ich bestimmt Arbeit finden.“

„Ist das weit?“, löcherte ihn das Mädchen.

„Hm, eine Reise von einer Woche gewiss“, behauptete Lucas nachdenklich, weil er es selbst nicht genau wusste.

Sie legte ihren Kopf wieder zurück und der Junge merkte, wie ihre Umarmung fester wurde.

„Darf ich mit dir kommen?“, stammelte sie schließlich zögerlich.

„Gewiss“, versprach ihr Lucas mit einem Lächeln und legte seine Hand auf ihren Kopf.

Die folgenden Tage folgten sie dem kleinen Bach und versuchten dabei stehst in Richtung Süden, oder zumindest glaubten sie, dass es die richtige Route wäre, zu wandern. Auf dem Weg sammelten sie alles ein, was irgendwie essbar erschien, wobei sich die Halbelfe als durchaus erfahrene Sammlerin erwies. Als Lucas den Vorschlag machte, die Pfadsucherin könnte doch mit dem Bogen leicht einen Hasen erlegen, wurde sie grimmig. Zunächst verstand er nicht den Grund dafür, jedoch erklärte sie ihm wenig später, dass sie keinem lebenden Wesen einfach so schaden wolle. Abends lehrte sie ihm, wie man ein Feuer entfachte oder Löcher in der Kleidung reparierte und die Nacht verbrachten sie eng umschlungen nebeneinander, natürlich nur, um sich gegenseitig zu wärmen. Das sagten sie sich zumindest stets, aber wie die Praiosläufe ins Land gingen und sie immer noch im Wald umher wanderten merkte Lucas, dass es für ihn mehr war als nur ein warmer Rücken in der Nacht, und er war damit nicht allein.

Als er eines Morgens aufwachte, noch bevor die ersten Praiosstrahlen durch das Blätterdach schienen, bemerkte er, dass sie ihr Gesicht ganz dicht an das seine gebracht hatte. Ihre Augen funkelten geheimnisvoll und wirkten im schwachen Licht der Glut noch anziehender.

„Dir wachsen Haare aus dem Gesicht“, kicherte sie leise und strich mit der einen Hand über seinen jugendlichen Flaum.

„Das ist mein Bart“, bemerkte er mit Stolz geschwelter Brust, wobei zu sagen ist, dass dieser Kuschelsamt noch weit davon entfernt war.

„Ich mag ihn nicht“, beteuerte sie nur kurz.

Lucas strich ihr mit einer Hand die Haare hinter ihre spitz zulaufenden Ohren.

„Dafür mag ich deine Hörmuscheln“, entgegnete er lächelnd und bemerkte, wie sie leicht errötete.

Daraufhin legte er die Hand auf ihre Hüfte und zog sie näher zu sich, sie schlang ebenfalls den Arm fester um ihn und schaute ihn erwartungsvoll an.

Lucas kannte diesen Blick, er hatte ihn schon oft genug bei seinen früheren Eroberungen gesehen, aber diesmal war es nicht wie sonst. Während er die anderen Mädchen als mehr als Zeitvertreib ansah, hegte er für diese zarte Maid, die nun in seinen Armen lag, echte Gefühle. Er schloss die Augen und als sich ihre Lippen berührten, merkte er, wie sie dessen Kuss erwiderte. Ein Schmatzer folgte dem nächsten und hingerissen von der Leidenschaft wanderte seine Hand langsam ihre Hüfte hinab, dabei strich er sanft über das weiche Leder und als er ihren Po berührte, merkte er, wie sie ihre Lippen löste. Er öffnete die Augen und sah, wie sie ihren Kopf wieder an seine Brust drückte. Wortlos lagen sie da, bis die ersten Praiostrahlen ihr Gesicht bedeckten.

Etwas behäbig stand sie auf und blickte sich um, dann schaute sie wieder Lucas mit einem Lächeln an und sagte:

„Ich gehe mich eben im Bach waschen."

Daraufhin schnappte sie sich ihren ledernen Rucksack und verschwand hinter dem Busch, der ihren Schlafplatz vom Bach trennte.

„Wehe du guckst§, scherzte sie noch, zunächst blieb Lucas ein paar Momente lang im Gras liegen, doch die Neugier war zu groß, und seinen wir doch mal ehrlich, welcher junge Mann würde in diesem Alter nicht versuchen einen Blick auf eine so schöne Dame zu erhaschen. Vorsichtig arbeitete er sich zum Gebüsch vor und versuchte, die Sicht durch die Sträucher frei zu machen.

Kurz darauf erblickte er sie, wie sie langsam das Wasser über ihre Oberarme laufen ließ, sie betrachtete ihren Körper, die geschwungenen Rundungen sowie ihre langen Haare, die im Wind tanzten. Vorsichtig schob er noch einen Ast beiseite, um eine bessere Aussicht zu bekommen, und mit einem Mal fuhr die Halbelfe herum, diese zeigte mit dem Finger auf ihn. Noch bevor er wusste, wie ihm geschah, wurde er von einem grellen Licht geblendet und alles, was es sehen konnte, war weiß. Vor Panik riss er sich hoch und rieb sich die Augen, drehte sich und es verließ ihn die Orientierung. Ein falscher Tritt und er schwankte nach hinten, verlor das Gleichgewicht und fiel ins Bodenlose. Ein Aufprall auf der Wiese, dann schien wieder Leere und mit einem Platschen landete er mit dem Hinterkopf voran im kalten Wasser des Baches, aber sehen konnte er immer noch nichts.

Daraufhin hörte er Schritte, die plätschernd näher kamen.

„Was hast du den in dem Gebüsch gesucht, tala?“, fragte ihn die Halbelfe.

„Frühstück?“, antwortete Lucas nach einiger Zeit, noch benommen vom Sturz.

„Gewiss, Frühstück“, flüsterte sie mit einem leicht ironischen Unterton, dann spürte Lucas ihre Lippen auf den Seinen.

„Nicht nochmal machen, ja?“, forderte sie, wobei der Junge hörte, wie sie sich wieder entfernte.

Als er etwas sehen konnte, richtete er sich auf, das Mädchen knöpfte gerade ihre Lederweste zu und lächelte ihn an. Er erhob sich und erwiderte das Lächeln, wobei sein Kopf leicht rot anlief.

Als sie ein paar Praiosläufe später endlich den Waldrand erreichten, brach bereits die Abenddämmerung herein und die zwei hielten es für das Klügste, die Nacht noch vor dem Zauberwald am Bach zu verbringen, bevor sie sich auf den Weg ins unbekannte Dorf machten.

Lucas versuchte sich darin, ein kleines Feuer zu entzünden, während das Mädchen in der Nähe nach Früchten, Wurzeln oder Beeren suchte. Zur Bettruhe legten sie sich, wie in den Praiosläufen davor eng zusammen und in den letzten Nächten wurde das gemeinsame Einschlafen von einem hingebungsvollen Kuss begleitet. Lucas fühlte sich zum ersten Mal glücklich und geliebt und endlich hatte er jemanden gefunden, an dessen Seite er bleiben wollte. Mit einem zufriedenen Lächeln schliefen beide ein.

Als er am nächsten Morgen mit den ersten Praiosstrahlen erwachte, war der Platz in seinen Armen leer. Es war schon mehrmals vorgekommen, meist war die Halbelfe irgendwo im Wald unterwegs um Feuerholz oder etwas Essbares zu finden. Vielleicht wusch sie sich auch wieder im nahegelegenen Bach. Noch erschöpft von der Wanderung durch den Wald warf er den dunklen Mantel über seine Augen, denn wenn sie zurückkam, würde sie ihn schon wecken.

Eine Berührung an der Schulter ließ Lucas schließlich ruckartig wieder erwachen.

„Wo ist denn mein morgendlicher Kuss?“, grinste der Jüngling.

„Na los, Sebastian, gib unserem Burschen, wonach er verlangt“, befahl eine tiefe, männliche Stimme laut.

„Aber sei gefühlvoll, der ist ja noch ein Bübchen“, zischte eine Zweite und es folgte hallendes Gelächter.

Erschrocken hob Lucas die Kapuze und blickte sich um. Es handelte sich um drei Männer mittleren Alters, die einheitliche Waffenröcke trugen und mit Schwertern bewaffnet schienen. Zwei von ihnen saßen hoch zu Ross, während der dritte neben dem Jungen hockte.

„Verzeiht, aber ich dachte ihr wäret meine Begleiterin“ gab Lucas kleinlaut zu, als er sich langsam erhob.

„Schon gut“, beruhigte ihn Sebastian, der ebenfalls wieder zu seinem Pferd schritt.

„He Bursche, sag was machst du hier?“, löcherte ihn nun einer der Anderen. Die Männer wirkten zwar ungepflegt, jedoch waren sie zu gut ausgerüstet, um einfache Banditen zu sein.

„Ich, das heißt wir sind auf dem Weg nach Salzburg“, äußerte sich Lucas wahrheitsgemäß.

„Du und wer?“, fragte nun erneut Sebastian, der sich bereits wieder auf seinem Pferd im Sattel befand.

„Meine Begleiterin, Pfadsucher“, erklärte Lucas den Männern, jene musterten ihn abermals von oben bis unten.

„Und du bist?“

Lucas fragte sich, warum die Männer so neugierig waren, aber er hielt es für besser, ihnen zu antworten, vor allem, um Ärger zu vermeiden.

„Lucas Fidian.“

Sie musterten ihn nachdenklich und blickten sich gegenseitig in die dunklen Augen.

„Könnt ihr mir vielleicht sagen wo ich bin, ich habe die Orientierung verloren.“

Sebastian flüsterte dem Mann zu seiner linken etwas zu, was der Junge nicht zu verstehen vermochte.

„Nun gut, wir wollten nur sicherstellen, ob du noch lebst“, beteuerte dieser wenig später.

Dann zeigte er mit dem Finger in den Horizont gen Süden.

„Nach Salzburg musst du in die Richtung gehen, denn wenn du weiter die andere Route gehst, kommst du zum Königreich Augsburg.“

Dann nickten sie ihm zu und machten sich auf den nebelverhangenen Weg in die Allee voller Bäume.

„Habt Dank!“, rief er ihnen fröhlich zu und setzte sich wieder an die heruntergebrannte Feuerstelle.

Er wartete, bis seine Gefährtin zurückkam, doch aus Momenten wurden Stunden des Ausharrens und er erhielt immer noch kein Zeichen von ihr. Allein ihr Rucksack lag angelehnt an einen Baum, bis auf den Bogen, der war verschwunden. Er schenkte dem jedoch weniger

Beachtung, bisher hatte die Süße ja immer den Weg zurückgefunden.

Gegen Abend wuchs jedoch die Sorge in Lucas, ob ihr etwas zugestoßen war. Er nahm einen Stock zur Hand, baute sich eine improvisierte Fackel daraus und wanderte ein paar Schritte in den dunklen Wald hinein, immer die Feuerstelle im Blickwinkel behaltend. Doch weder am Bach, noch in näherer Umgebung fand er Hinweise, die auf sie hinwiesen.

„Pfadsucherin!“, hallte es in den Wald, doch er erhielt keine Antwort. Immer wieder rief er ihren Namen, bis seine Kehle schmerzte, aber niemand antwortete. Die ganze Nacht blieb er unruhig beim Feuer und blickte bei jedem Rascheln des Unterholzes auf, jedoch irgendwann war er so erschöpft, dass ihm die Lider zufielen.

Auf am darauf folgenden Tag war keine Spur der Halbelfe zu sehen, woraufhin Lucas beschloss etwas tiefer im Wald zu suchen. Das einzige was er fand, schienen abseits des Baches leichte Fußabdrücke zu sein, die jedoch im Unterholz verschwanden und dessen Richtung unmöglich zuzuordnen war. Er beschloss, dass es das

Klügste ist, am bekannten Ort zu bleiben. Als zwei weitere Praiosläufe vergingen, hatte er immer noch keine Spur gefunden.

Wie er nun bei Sonnenuntergang beim Feuer saß und die letzten Früchte verzehrte, überkam ihn eine unglaubliche Traurigkeit. Er war wieder allein und vermisste ihr Lachen, ihre Nähe und abends ihre Zuneigung. Tränen rannen über dessen Wangen und tropften lautlos zu Boden. So starrte er die ganze Nacht ins Feuer und als der Morgen anbrach, waren seine Augen gerötet, er nahm sein Gebetsbuch der Herrin Fatima an sich und riss eine Seite heraus, nahm den Kohlestift zu Hand und schrieb:

„Ich werde im altehrwürdigen Salzburg auf dich warten, Lucas Fidian."

Den Zettel schlug er mit einem Holzstock, so gut er konnte, in den Boden unter einem Baum, anschließend hob er seine Sachen auf, ging zum Rucksack der Halbelfe. Mit Tränen in den Augen hob er ihn hoch, wobei er den gefalteten Umhang darunter entdeckte. Behutsam und wie einen Schatz nahm er ihn und er roch immer noch nach ihr. Dann machte er sich langsam auf den Weg, in die Richtung, die ihm der Soldat gestern gezeigt hatte, oft blickte er zurück, auf eine kleine Gestalt hoffend, die aus dem Wald auftauchte, aber sooft er sich umdrehte, niemand kam und sprach seinen Namen lieblich aus.

Kapitel 3

Im Kerker

Als er wieder zu sich kam, fragte er sich, ob seine Augen wirklich geöffnet hatte, denn er konnte nichts sehen außer Schwärze. Ein unangenehmer Geruch stieg ihm in die Nase. Tastend bewegte er sich nach vorne und berührte dabei den kalten steinigen Boden. Er hörte seinen schweren Atem, das Rascheln von Ketten. Erschrocken fuhr er herum.

„Hallo?“

Den Atem anhaltend lauschte er, und vernahm ein leises Atmen. Da war jemand. Doch er konnte nicht sehen wer.

„Wer ist da?“, fragte er erneut.

Klingen von Ketten drang an sein Ohr, während er über den nackten Stein weiter nach vorne kroch. Dann stieß er mit dem Kopf gegen etwas hartes und ein metallisches Klappern hallte durch den Raum. Panisch tastete er um sich, und in regelmäßigen Abständen fühlte er kalte, eiserne Stangen aus dem Boden kommen.

„Ganz ruhig“, beruhigte ihn eine tiefe, bedrohliche Stimme.

„Wer ist da? Wo bin ich?“, schrie Lucas panisch.

„Sei ganz ruhig“, hörte er wieder aus der Ferne, wobei der Junge die Richtung nicht zuordnen konnte.

„Du bist in einem Kerker.“

Obwohl der Junge noch immer Unbehagen empfand, beruhigte ihn die Antwort etwas.

„Hast du mich hierhin gebracht?“, fragte Lucas vorwurfsvoll.

„Nein, ich bin genauso gefangen wie du“, merkte der Fremde in der Dunkelheit an, während er sich langsam näherte.

„Wie heißt du?“, fragte ihn der Fremde jetzt und er merkte, dass er ganz nahe war.

„Lucas Fidian“, entgegnete er und hockte sich auf den Boden.

„Du?“

„Ich bin Birger, Sohn des Drogom“, erklärte ihm der Fremde rasch.

Lucas war verwirrt. Die Anrede, Sohn des, war besonders typisch bei Zwergen.

„Birger… heißt das nicht Menschenkind im Rogolan?“, wollte er wissen, denn über seinen Vater, der oft mit Zwergen Handel trieb, hatte er ein paar Bruchstücke Rogolan aufgeschnappt.

Weil er keine Antwort erhielt fragte er weiter nach.

„Bist du ein Zwerg?“

Ohne weitere Reaktion erwiderte der Fremde darauf:

„Wie bist du hier her gekommen?“

Lucas erzählte es ihm, jedoch nicht jedes Detail seiner Reise, sondern nur das nötigste.

„Und du?“, hakte der Junge nach.

Stille breitete sich wieder aus und mutlos lehnte er sich gegen die eisernen Stäbe.

„Weißt du, was er mit uns vor hat?“, fragte Lucas irgendwann.

„Kann ich dir nicht beantworten, denn ich wurde im Schlaf überrascht“, entgegnete ihm der Mann nur trocken.

Er wusste nicht, wie lange sie schon in dieser Finsternis hockten, doch mit jeder gefühlten Stunde die verging, wurde Lucas unruhiger. Behutsam tastete er sich durch die kleine Zelle und versuchte irgendwo einen Durchgang, ein Loch oder eine Schwachstelle zu finden, doch es nützte alles nichts. Wütend trat er gegen die eisernen Gitter, in der Hoffnung damit etwas zu bewirken und er ließ sich erschöpft zu Boden fallen. Seine Gedanken wanderten zu der Pfadsucherin. War sie vielleicht den Angreifern entkommen, oder lag sie hier ebenfalls, verwundet in einer Ecke? Er rief ihren Namen.

„Hier ist niemand außer uns, apar also lieber deinen Atem“, versicherte der Fremde mit gelangweilten Unterton.

Mutlos sank Lucas wieder zu Boden und merkte, wie seine Augen feucht wurden. Die Furcht umarmte ihn, wie einen alten Freund, dabei war es viel mehr die Angst um das ungewisse Schicksal der Pfadsucherin, die sich in seinem Inneren mehrten. Während es im Wald keine Anzeichen eines Verbrechens gab und er anfangs geglaubt hatte sie wieder sehen zu können, so hatte der Fund des blutigen Bogens jede Hoffnung in ihm zerschlagen.

Irgendwann näherten sich Schritte, und Lucas erkannte einen Lichtschein unter einer Tür nur wenige Ellen von ihm. Dann Stimmen und das Geräusch eines Schlüssels, der schwer ins Schloss fiel. Die Tür wurde geöffnet und das Licht der Fackel brannte in Lucas´ Augen.

„Eingesperrt hab ich sie….ja“, hörte er eine vertraute Stimme und durch die Tür kam die Gestalt des hageren Mannes, den Lucas geholfen hatte.

Daraufhin trat eine zweite Person ein.

„Sehr gut gemacht“, merkte eine strenge weibliche Stimme an.

Als Lucas´ Augen sich an das Licht gewöhnten, erkannte er eine hochgewachsene, anmutige Dame, die sich den Käfigen näherte. Sie war in eine purpurne Robe eingehüllt, die den Boden berührte, als sie näher kam, wurde sie von einem strengen Geruch begleitet und Lucas musst sich die Nase bedecken. Der Raum war mit zwei hohen eisernen Käfigen versehen, dem gegenüber ein kleiner Tisch mit verschiedensten Instrumenten lag. Lucas schaute zu dem Fremden in der anderen Zelle, der mit dem Rücken zur Wand gelehnt auf dem Boden lag. Er war kaum älter als Lucas selbst, jedoch von wesentlich kräftigerer Statur. Bekleidet war er mit einem einfachen Brustharnisch und einer ledernen Hose. Das Gesicht wirkte trotz der jugendlichen Ausstrahlung erschöpft und die blonden Haare schienen dreckig und verfilzt. Seine kräftigen Hände waren mit hölzernen Handschellen aneinandergebunden, die Dame mit dem purpurnen Gewand ging auf den Fremden zu und musterte ihn lange.

„Verzeiht aber...“, ergriff Lucas das Wort, doch der eiskalte Blick der Dame ließ ihn erschaudern.

Ihr Gesicht war entstellt und große Teile der Nase fehlten.

„Wer ist das?“, fragte sie ihren Begleiter. Dieser sprang wieder aufgeregt hin und her.

„Ja… hat gesehen… weiss Bescheid…“, entgegnete er währenddessen.

Dann zeigte sie mit dem ausgestreckten Finger auf den Fremden in der Rüstung.

„Und er?“

„War im Wald… hatte Glitzzerding“, antwortete der hagere Mann und zog aus seiner Tasche ein kleines Abzeichen. Die Frau nahm es in die Hand und betrachtete es im fahlen Licht der Fackel.

„Soso“ sagte sie schließlich.

„Ein Mitglied des Rates.“

Daraufhin gab sie das Medalion zurück an ihren Gefährten, danach brachte sie ihr Gesicht nahe an die Gitterstäbe und Lucas konnte ihren verfaulten Atem riechen.

„Mach mit ihnen was du willst“, flüsterte sie schließlich und wand sich zu Tür.

Der hagere Mann klatschte in die Hände vor Freude und rief.

„Lobet ihn… den Namenlosen!“

Gefolgt von einem grässlichen Lachen begleitete er die Dame aus dem Raum.

Die Tür fiel schwer ins Schloss und Lucas hörte, wie sich die Schritte entfernten, doch Götter sei Dank hatte der hagere Mann die Fackel in der Haltung vergessen, wodurch der kleine Raum in ein unheimliches Licht getaucht wurde. Lange betrachtete Lucas den Raum und konnte keine Möglichkeiten für eine Flucht erkennen.

„He Lucas“, sprach ihn sein Leidensgenosse an.

Der Junge blickte zu ihm hinüber. Während Lucas die Panik ins Gesicht geschrieben stand, wirkte Birger vollkommen ruhig.

„Kannst du kämpfen?“

„Gewiss, aber wie wollen wir… ich meine…“, stammelte der Junge vor sich hin.

„Ganz ruhig“, wiederholte der Mann, während er Lucas fest in die Augen sah.

„Wir werden hier einen Weg hinausfinden.“

Diese Worte beruhigten den jungen Lucas nur wenig, denn er war immer noch in Sorge um die Halbelfe.

„Ich muss meine Gefährtin suchen“, entgegnete Lucas mit bestimmender Stimme.

„Ohne sie kann ich hier nicht fort.“

Birger nickte nur stumm und starrte wieder zur Decke.

Die Zeit verging und das Licht der Fackel nahm mehr und mehr ab.

„Erzähle mir von dieser Gefährtin“, forderte Birger schließlich und Lucas kam seiner Bitte nach, wobei er manche Einzelheiten ausließ, denn so richtig traute er dem Mann nicht.

Als er zu Ende erzählt hatte, nickte dieser und sprach.

„Nobel von dir in einer solchen misslichen Lage an deine Gefährten zu denken.“

Lucas errötete, denn für ihn war sie mehr als eine Gefährtin, dann hörten sie leise Schritte vor der Tür. Der junge Abenteurer drehte den Blick zum Eingang und als die Tür sich öffnete, tapste der verrückte hagere Mann vergnügt in den Raum. Als er beide sah, wie sie in den Zellen kauerten, fing er zu kichern an.

„Der Güldene ist gnädig… ja.“

Er inspizierte die Werkzeuge auf den Tisch und lachte, wobei er immer verstohlen zu Lucas schielte. Panik machte sich in dem Jungen breit und er schaute ängstlich zu Birger, der nur seelenruhig den angehenden Folterknecht beobachtete. Mit einem merkwürdig ausschauenden Werkzeug und einem strahlenden Lächeln drehte der hagere Mann sich zu den beiden um.

„Wieviel Götter sind in Avleran?“, erkundigte er sich und als er die Götter aufzählte, wanderte sein Fingern zwischen den Zellen hin und her.

Bei Lucas´ Gemach hörte der Reim auf und dem Jungen brachen Schweißperlen auf der Haut aus. Langsam und bedrohlich näherte sich der Mann und ließ das Folterwerkzeug im schwachen Licht funkeln. Lucas verkroch sich in die hinterste Ecke der Zelle und wie eine Maus in der Falle suchte er vergeblich einen letzten Ausweg.

„He Dorftrottel, wieso versuchst du es nicht mit mir?"

Der Mann hielt inne und schaute Birger schief an, dessen Stimme schwach und entkräftet klang. Der hagere Folterknecht tapste langsam auf die andere Zelle zu.

„Was hast du gesagt?", zürnte er, wobei sein Lächeln sich zu einer finsteren Miene verzog.

„Du Dorftrottel, du Lumpensack, du räudiger Sohn einer Hündin", entgegnete ihm Birger, wobei ihn diese Worte sichtlich anstrengten.

Die Miene des Mannes wurde immer finsterer und mit einem Ruck nahm er den Schlüssel und öffnete die Zelle.

„Ja.... Namenloser!“, rief er und warf sich auf den Mann, der ihn so verspottet hatte.

Lucas sah, wie Birger den Folterknecht mit Leichtigkeit zu Boden warf, und erkannte, dass sich dieser erschöpfter präsentiert hatte, als er in Wirklichkeit war. Mit dem Knie drückte er den hageren Mann zu Boden, der unter seinem Gewicht fluchte und fauchte. Das Werkzeug schnitt durch das Leder der Hose und rote Streifen zierten Birgers Haut.

„Der Schlüssel!“, plärrte dieser dem Jungen zu, doch das war völlig überflüssig.

Rasch streckte Lucas die Hand nach dem Schlüssel aus. Er presste sich gegen die Gitter, um jenen zu erreichen, der noch immer im Schloss der Zelle steckte. Nur mit den Fingerspitzen erreichte er den Rand des Bundes, doch es reichte. Hastig zog er den Schlüssel heraus und öffnete seine Türe. Birger hatte unterdessen dem Folterknecht einen so heftigen Schlag gegen den Kopf verpasst, dass dieser sich die verwundete Schläfe hielt und heulend auf dem Boden der Zelle lag. Schnell eilte er zu Lucas, der ihn von den hölzernen Fesseln befreite, dann schlossen sie die Türe und erholten sich erst einmal von der Anstrengung.

„Habt Dank, Lucas“, beruhigte sich Birger und klopfte ihm hochachtungsvoll auf die Schulter.

„Ich hab euch zu danken“, erwiderte Lucas, der noch etwas nach Luft schnappte.

Daraufhin erhob er sich und ging auf die Zelle zu. Der Mann lag zusammengekauert in der Ecke und blitze den Recken mit hasserfüllten Augen an.

„Sind hier noch mehr Gefangene?“, erkundigte sich unser Junge und versuchte dabei selbstsicher zu klingen.

Der Mann antwortete nicht.

„Los rede“, fauchte ihn Birger an, der sich an den Tisch angelehnt hatte und sich die geröteten Knöchel rieb.

Der Mann antwortete immer noch nicht. Wütend hämmerte Lucas gegen das Gitter. „Wo ist meine Gefährtin?“, schrie er den Mann an.

„Was hast du mit ihr gemacht?“

Der Zorn überkam Lucas und er spürte, dass er sich immer weniger unter Kontrolle hatte. Ein breites Grinsen stand dem Mann im Gesicht.

„Abgestochen….ja….. wie ein Hund“, antworte dieser mit einem Kichern.

„Nein.“

Lucas hämmerte gegen die Tür, während Tränen seine Wangen hinunter liefen. Die Hände schmerzten und er spürte, wie der Hass in ihm aufflammte. Birger zog ihn von der Zelle weg und wie in Trance merkte der Junge nur, wie er an den Schultern geführt wurde. Der Mann in der Zelle lachte laut, aber sein Geräusch drang nicht zu Lucas durch. Birger öffnete die Tür, schaute sich um und zog ihn hinter sich her in den angrenzenden Raum. Dann schloss er die Tür, durch die sie gekommen waren und verriegelte sie mit dem Schlüssel.

Auf der anderen Seite kam ein schlichter Steinraum zum Vorschein, der spärlich möbliert war. In der einen Ecke des Raumes fand Birger die Sachen, die ihm entwendet wurden.

Mehrmals sprach er Lucas an, der immer noch in Gedanken versunken an der Tür stand. Mit einer Ohrfeige holte er ihn wieder in die diesige Sphäre zurück und schaute ihm tief in die Augen.

„Jetzt ist nicht die Zeit zum Trauern. Wir müssen von hier verschwinden“, entgegnete er dem Jungen nur, der daraufhin nickte.

Während Birger aus der einzigen Tür des Raumes spähte, suchte Lucas seine Habe zusammen, die achtlos in eine Ecke des Raumes geworfen waren. Er fand ebenfalls den Bogen der Halbelfe, der unter einem Kleiderberg begraben war. Ein erneuter Anflug von Traurigkeit überkam ihn, und nur mit Mühe unterdrückte er die Tränen. ‚Nicht jetzt‘ sagte er immer wieder zu sich selbst.

„Können wir?“, fragte Birger, der mit einer Fackel neben ihm stand.

Mit wässrigen Augen nickte der Recke und beide verließen das winzige steinerne Haus, welches versteckt hinter einem kleinen Hügel lag. Als sie kaum zwei Schritt gegangen waren, drehte sich Birger zu Lucas um und reichte ihm die Fackeln. Verwundert nahm dieser das Feuer an sich und bevor er eine Frage stellen konnte sagte der Ritter:

„Rache ist falsch, aber die Götter lehren uns auch, Diener des Namenlosen nicht zu verschonen."

Allmählich verstand Lucas, was er ihm damit sagen wollte.

„Es ist deine Entscheidung", beteuerte er noch und entfernte sich vom Jüngling.

Lange betrachtete er die Fackel, wobei sein Blick hin und wieder auf das Strohdach des Hauses fiel. Dann blickte er auf Birger, der sich weiter von ihm entfernte. Unbändiger Hass überkam ihn auf den hageren Mann, der seine Gefährtin getötet hatte. Mit einem Aufschrei warf er die Fackel auf das Haus. Er blickte nicht zurück, sondern umfasste den Bogen enger und hörte, wie das Lodern der Flammen lauter wurden, wie das Holz der Balken knarrte. Im Herzen wusste er seinen Weg. Rasch holte er den Mann ein, und sie gingen wortlos der Dämmerung entgegen.

Während der Wanderschaft hatten sie kein Wort gewechselt und auch das Beisammensein am Feuer wurde von unbehaglichem Schweigen begleitet. Der Mann saß Lucas gegenüber und hatte die Augen geschlossen. Lucas betrachtete den Bogen der Halbelfe und fuhr immer wieder mit der Hand über das Holz. Tränen liefen seine Wange hinunter und schnell versuchte er, sie wegzuwischen. Er wollte nicht weich vor Birger wirken, der bis jetzt immer einen kühlen Kopf bewahrt hatte. Er schluchzte.

„Lass deinen Tränen ruhig freien Lauf, Lucas", vernahm er nur die tiefe Stimme des Mannes, der weiterhin die Augen geschlossen hatte.

Der Junge hob den Blick und sah, wie die längeren Haare des Mannes im Wind getragen wurden.

„Nein ich muss stark sein", befand Lucas und wischte sich die Augen mit seinem Mantel ab.

Er musste standhaft sein, oder zumindest glaubte er es.

Birger öffnete die Augen. Sie wirkten kühl und doch bemerkte Lucas eine gewisse Traurigkeit in ihnen.

„Du hast eine Gefährtin verloren. Es ist dein Recht Trauer zu empfinden“, bekräftigte er schließlich und blickte ins Feuer.

„Wenn ich bei ihr gewesen wäre, wenn ich ihr geholfen hätte“, stammelte Lucas vor sich hin.

„Dann wäret ihr wohl beide gestorben“, fiel ihm der Mann trocken ins Wort.

Dann blickte er dem Jungen wieder fest in die Augen.

„Gib dir nicht die Schuld an ihrem Tod.“

Lucas nickte mit wässrigen Augen, denn Birger hatte Recht und es war nicht sein Fehler.

„Und jetzt schlaf etwas, Lucas, morgen früh brechen wir auf“, sagte der Mann und schloss wieder die Augen.

Der Junge hüllte sich in seinen Mantel und legte sich in das Gras, das Gesicht verhüllte er in der Kapuze. Es war nur das Knistern des Feuers zu hören, und das Wehen des Windes, in dessen Wogen ein leises Weinen zu vernehmen war.

Am nächsten Morgen wurde Lucas unsanft aus dem Schlaf geschüttelt. Mit erschöpfter Miene blickte er Birger an, der gebeugt über ihm stand. Mit einem Murren wandte der Junge sich ab. Er hatte viel zu wenig Schlaf in der letzten Nacht bekommen.

„Wir müssen los“, sagte er nur und Lucas fiel es schwer, die Augen offen zu halten.

Irgendwie schaffte er es trotzdem, sich zu erheben und seine Sachen zusammen zu suchen. Dann machten sie sich wieder auf den Weg. Langsam vergingen die Stunden und es wurde kein Wort gewechselt. Nur das Schlagen von Birgers Schwertknauf auf seine Brustplatte begleitete ihren Weg. Hin und wieder sahen sie aus der Ferne Schafe, die über der grasigen Landschaft verteilt waren.

„Wohin gehen wir eigentlich?“, fragte Lucas, der die Stille nicht mehr ertragen konnte. Zunächst schwieg Birger nur, offensichtlich wägte er ab, in wieweit er dem Jungen trauen konnte.

„Nach Salzburg“, entgegnete er schließlich und damit war das Thema für ihn anscheinend erledigt.

Lucas gab sich mit der Antwort zufrieden, denn dies schienen ein paar der wenigen Worte zu sein, welche er dem Mann entlocken konnte. Als sie während ihrer Wanderschaft durch ein kleines Dorf kamen, umtanzte den Jungen ein wohltuender Geruch von frischem Brot und er lief zur nächsten Backstube, den er finden konnte. Birger folgte, wenn auch etwas abseits.

„Travia zum Gruße, mein Junge“, rief ihm der Bäcker entgegen, der gerade vier frische Brote aus dem Ofen holte.

Lucas grüßte ihn flüchtig und betrachtete gierig und mit wässrigem Mund das Brot. Er drehte sich zu Birger um.

„Willst du auch eins?“, erkundigte er sich beim Weggefährten.

„Ich habe keinen Hunger“, winkte dieser ab, doch mit einem Knurren widersprach dessen Magen.

Der Junge lachte auf und erkannte, dass er außer dem Schwert und einer Feldflasche nichts anderes am Gürtel besaß. Birger errötete leicht und Lucas bestellte beim Bäcker zwei große Laibe Brot.

Als er Birger das Brot reichte, sagte jener nur leise:

„Habt Dank.“

Offensichtlich war es ihm peinlich, von anderen Leuten Hilfe anzunehmen, doch Lucas kümmerte dies wenig. Wortlos das frische Brot genießend machten sie eine kleine Rast außerhalb des Dorfes.

Lucas bemerkte, wie der Mann seine Axt begutachtete.

„Du kannst kämpfen, oder?“, fragte er schließlich, während er den jungen Kerl musterte.

„Gewiss!“, antwortete dieser und brach ein großes Stück Brot ab.

Der Mann schien auf einmal sehr interessiert an dessen Fähigkeiten zu sein, und bat ihn ein paar Übungen vorzuführen. Lucas kam seiner Bitte nach, auch wenn er den Grund dafür nicht wusste. Er vollführte die üblichen Hiebe mit der Axt, wobei er erstaunt war, dass er mehr von Meister Petros´ Unterricht behalten hatte, als er dachte. Mit fließenden Bewegungen summte die Axt durch die Luft, und Lucas fühlte sich merklich besser. Schweiß lief langsam seinen Rücken hinunter. Der Mann musterte ihn, während der Junge die einstudierten Bewegungen nachahmte. Lucas verlor sich immer tiefer und ignorierte die fragenden Blicke der vorbeigehenden Menschen. Es gab nur noch ihn und die Axt.

Erschöpft und schweißgetränkt fiel er ins Gras. Birger hingegen saß immer noch schweigend am Wegesrand. Dann zog er sein Schwert aus der Scheide und warf es Lucas vor die Füße. „Versuch es mal mit beiden Händen“, schlug er vor und wartete die Reaktion des Jungen ab.

Den Atem findend hob er das Schwert mit der linken Hand hoch und betrachtete es. Ein einfaches Langschwert, das er von der Akademie kennt. Schmucklos und ohne Verzierung. Er rappelte sich auf und atmete ein paar Mal tief durch. Dann schwang er das Schwert in der linken und die Axt in der rechten Hand. Blockte, duckte sich und traf den unsichtbaren Gegner. Doch als er mit dem Schwert weit ausholte, rutschte er auf einer feuchten Stelle im Gras aus und fiel rückwärts zu Boden. Schallendes Gelächter erhellte die Umgebung und zum ersten Mal sah Lucas einen anderen Gesichtsausdruck bei dem Mann. Lächelnd erhob sich der Junge und hielt Birger die Waffen hin.

„Wenn du es besser kannst dann zeig es mir“, forderte er ihn mit einem Lächeln auf den Lippen auf.

Damit nahm Birger die Waffen an sich und brachte sich in Position. Prüfend schwank er jene ein paar Mal hin und her und schätzte mitunter die Unwucht der Axt ab. Ohne Vorwarnung begann er.

Sein Gesicht wirkte dabei entschlossen und zielgerichtet. Wie die Wogen der Wellen bewegten sich die Waffen im Wind, anmutig und doch zugleich bedrohlich. Seine Bewegungen waren geschmeidig und die Hiebe treffsicher. Noch nie hatte Lucas solch Geschick und Körperbeherrschung gesehen, außer bei Meister Petros, der sein Können aber nur äußerst selten zeigte. Wortlos bestaunte er die Bewegungen und als Birger diese Moves beendet hatte, lobte er ihn im höchsten Maße.

„Wo hast du das gelernt?“, wollte Lucas wissen.

Der Mann reichte ihm die Axt und steckte selbst sein Schwert zurück in die Scheide.

„Bei meinem Vater“, deutete er Lucas, dass sie sich wieder auf den Weg machen.

„Er muss ein hervorragender Kämpfer sein“, bemerkte der Junge.

„Der Beste“, entgegnete der Kumpane mit einem leichten Lächeln auf den Lippen.

Lucas fragte weiter, nach seinem Vater, dem Zuhause, was er so erlebt hatte, aber Birger schwieg wieder und so führten sie ihre Reise fort.

„Mein Vater ist Drogrom, Sohn von Drobion“, erklärte Birger schließlich abends am Feuer.

Lucas sagte dieser Name nichts.

„Aufgewachsen bin ich in der Zwergenfeste Okdragosch“, fuhr er fort.

Jenen kannte der einsame Ritter, wobei sie in der Sprache Salzburgi als Schwarzdrachenwacht bekannt war. Es handelte sich eine Burg der Zwerge, die zum Schutze des untoten Drachen errichtet worden war, doch als das Untier vernichtet wurde, wurde diese Festung die neue Heimat, des Hochkönigs der Kleinwüchsigen.

„Ich wusste gar nicht, das Menschen dort wohnten, ich dachte immer nur Zwerge“, gab Lucas zu, wobei sein Wissen eher dürftig war.

„Nicht nur, außerhalb der Tore wohnen Menschen, sogar ein paar wenige Elfen“, erwiderte Birger und war ein paar trockene Zweige in das Feuer.

„Mein Name, Birger, ist eigentlich nur mein Rufname. Mein Ziehvater, Drogom, hatte mich und meine Schwester aus einem Dorf gerettet, das von einem Drachen vernichtet worden war."

Lucas sah, wie die Miene des Mannes ernst wurde.

„Ich hätte nie gedacht, dass Zwerge ein Menschenkind aufnehmen. Die sind ja berüchtigt für ihre Sturheit", sagte Lucas und erinnerte sich noch gut an die hitzigen Auseinandersetzungen, die sein Vater mit den zwergischen Händlern hin und wieder hatte.

„Nun, die meisten akzeptieren mich auch immer noch nicht, obwohl ich vielen schon oft genug geholfen habe", antwortete Birger mit trockener Stimme.

„Aber ich bin einer von ihnen, und auch wenn ich nie als einer von ihnen voll und ganz akzeptiert werde, so würde ich doch Seite an Seite mit ihnen kämpfen, bis ich Einlass in Angroschs Hallen finde."

Dann herrschte Schweigen. So viel Treue seinen Gefährten gegenüber, so viel Loyalität war bei vielen Menschen schwer zu finden. Lucas bewunderte den Mann immer mehr. Auch Jasper hatte ihm ähnliche Worte gesagt, und obwohl der Junge früher wenig für seine Kameraden übrig hatte, so verstand er nun langsam, was wahre Gefährten ausmachten. Sie gaben einander Halt, schworen sich Treue und waren in der dunkelsten Zeit, für den anderen da.

„Es ist spät, ruh dich etwas aus, morgen Abend sollten wir Salzburg erreichen."

Mit diesen Worten schloss Birger wieder die Augen und hüllte sich in seinen Umhang. Lucas tat es ihm nach und irgendwann schlief er zufrieden ein.

Kapitel 4

Zwergenschmiede

Schon weit in der Ferne erkannten sie die mächtige Stadt, deren Mauern sich weit erstreckten, und Türme in die Höhe ragten. Obwohl Lucas bereits einmal die Kaiserstadt gesehen hatte, war er immer noch von den mächtigen Mauern überwältigt. Salzburg war schon von jeher das Herz des Mittelreiches und würde es auch bleiben. Heimat der Kaiserin und Wohnstätte für tausende Menschen, aber auch für Zwerge und Elfen.

Als sie näher kamen, erkannten sie die Händler, die mit fortlaufender Stunde, Salzburg verließen, um sich wieder auf den Weg zu machen. Sie sahen auch einige Abenteurer, Soldaten und Wanderer auf ihrem Weg, die sie in den Namen der Zwölf grüßten. Die kleinere Mauer von Neu-Salzburg, in welcher sich der Praiostempel befand, erhob sich schützend vor der Stadt und wurde von einigen Gardisten bewacht. Jene überprüften die ein und ausgehenden Personen nach verbotenen Waren, oder über deren Tätigkeit in Salzburg. Bekleidet schienen sie mit dem typischen blauen Waffenrock, sowie einem Morion Helm. Die Brust zierte das Wappen von Salzburg, ein roter Fuchs auf einem goldenen Schild. Als die beiden sich der Wache näherten, hielt sie ein Wachsoldat vom Durchschreiten des nördlichen Stadttores ab.

„Halt, wohin so eilig?“, erkundigte sich einer der Gardisten und baute sich vor den beiden auf.

„Wir wollen ins Innere der Stadt“, erwiderte Birger in seinem üblichen gleichgültigen Ton.

„Aber mit den Waffen kann ich euch nicht passieren lassen“, widersprach der Gardist und zeigte auf Birgers Schwert und Lucas´ Axt, die dieser an seinem Gürtel hängen hatte. Der Weggefährte kramte eine lederne Rolle aus den Untiefen der Tasche und reichte es dem Gardisten. Dieser nahm es an sich und betrachtete das Stück. Mit überraschter Miene gab er es Birger zurück und blickte zu Lucas.

„Und euer Kriegerbrief?“, hakte er neugierig ein und hielt die Hand zu ihm aus.

„Ich habe keinen“, entgegnete er dem Gardisten und schaute dabei fragend zu seinem Gefährten.

„Dann gebt mir die Axt“, forderte der Soldat und Lucas gehorchte wortlos.

Der Gardist betrachtete die Waffe, die stumpf vom Rost war.

„Ich bürge für ihn, falls ihr es als notwendig erachtet“, richtete Birger das Wort an den Soldaten, der mit dem Finger über die Klinge der Axt fuhr.

Dann reichte er Lucas wieder die Axt und sagte zu Birger:

„Wenn er Schwierigkeiten macht, seid ihr dafür verantwortlich.“

Der Krieger nickte wortlos. Daraufhin drehte der Gardist sich um und rief seinen Kameraden zu:

„Die dürfen passieren“... und deutete den beiden, weiterzugehen.

„Weist du schon was du vor hast, Lucas?“, fragte Birger, als sie sich den Mauern von Alt-Salzburg näherten.

Der Junge überlegte, eigentlich hatte er sich keine großen Gedanken darüber gemacht, da er hoffte, in Salzburg irgendwas zu finden.

„Um ehrlich zu sein“, fing Lucas zögerlich an und strich sich dabei nachdenklich über das Kinn.

„Ich weiß nicht was ich tun werde. Ich habe weder Arbeit, noch eine Unterkunft.“

Sein Weggefährte nickte nur stumm, während sie das riesige Portal der Stadtmauer passierten. Dann blickte er wieder zu Lucas.

„Komm mit mir, ich weiß wo wir eine Unterkunft finden können.“

Kaum hatte er diese Worte gesprochen, erhöhte er das Tempo seiner Schritte. Zunächst schaffte es, Lucas mit ihm mit zu halten, doch je näher sie dem Zentrum der Stadt kamen, desto verwinkelter und voller wurden die Straßen. Geschrei von Händlern, die ihre letzten Waren anboten, kläffende Hunde, schnaubende Goblins und das Getümmel der Menschenmassen verwirrte Lucas so sehr, dass er irgendwann die Orientierung verlor. Ohne genau zu wissen, wohin er gehen sollte stapfte er in irgendeine Richtung, jedoch sah er seinen Wegbegleiter nicht mehr. Ratlos blickte er in der Menge umher und kratze sich am Kopf, wobei er hier und da von Passanten angerempelt wurde. Er versuchte, sich irgendwie an den Weg zurückzuerinnern, doch jede Straße sah für ihn gleich aus. Eine plötzliche Hand auf seiner Schulter riss ihn aus der Menschenmenge und schleifte ihn in eine nahe gelegene Gasse.

„Bleib nah bei mir“, flüsterte eine vertraute Stimme und als der Junge aufblickte, sah er Birger, der weiter die Gasse entlang ging.

Der hohle Weg war weniger belebt, als die Hauptstraße, aus der sie kamen und hier und da schlenderten ein paar Leute vorbei, oder saßen Bettler mit flehenden Blicken am Straßenrand. Je mehr sie in die verwinkelte Gasse eintauchten, desto mehr wurden die Stimmen der Hauptstraße durch das leise Klingen von Stahl auf Stahl abgelöst. Rhythmisch ertönte das Summen des Eisens und wie eine liebliche Melodie umspielte es Lucass Ohren. Er verlor sich einen Moment in diesem hellen Gesang, der ihn wie eine alte Geliebte einlud.

Als sie die Quelle der Geräusche erreichten, war Lucas sehr überrascht, dass es sich nicht wie von ihm angenommen um einen Übungsplatz, wie in der Akademie handelte, sondern um eine kleine Schmiede, die verborgen in den verwinkelten Gassen lag. Die Jene bestand nicht aus viel mehr, als einem massiven Steinhaus, das zahlreiche Stockwerke umfasste, und unterschied sich deutlich von der Bauweise der ringsum stehenden Gebäude. Mehrere Fenster waren geöffnet und ließen einen flüchtigen Einblick in das Arbeitszimmer zu. Aus dem hohen Kamin stieg in regelmäßigen Abständen graue Rauchwölkchen in die Höhe und verliefen sich im Blau des Himmels.

Ohne zu fragen, trat Birger in die Schmiede ein, dessen Tür nur leicht angelehnt war. Lucas wusste nicht, ob es klug war einfach so hineinzugehen, zumal er keinen Ärger mit der Stadtwache haben wollte. Deswegen spähte er zunächst nur mit dem Kopf in den leicht verdreckten Raum. Der Raum war ungefähr acht

Schritt lang und fünf davon breit. In regelmäßigen Abständen erstreckten sich Holzbalken aus dem Boden, die die oberen Stockwerke stützten. An den Wänden hingen verschiedenste handgeschmiedete Waffen, die von einfach schmucklosen Dolchen, bis hin zu prunkvoll verzierten Degen reichte. Die wenigen Tische waren überladen mit den verschiedensten Werkzeugen, täglichen Gebrauchsgegenstände und vereinzelte Rüstungsteile. An der linken Wand führte eine schmale Holztreppe nach oben, während zur Rechten zwei Gestallten am Feuer saßen. Birger bedeutete Lucas rein zukommen. Knarrend schloss dieser die Tür hinter sich. Eine der zwei Personen blickte auf.

„Ah du bist es.“

Das Gesicht war so verdreckt, dass Lucas nur zwei vor Freude funkelnde Augen erkannte. Die Person erhob sich und der Junge merkte, dass es sich um von der Statur her um einen Zwerg handeln musste. Der schwarze Bart reichte ihm bis zum Bauch, an dem ein Ledergürtel mit verschiedenen kleinen Hämmern befestigt war. Die Haare des Zwerges hingegen standen wie die Stacheln eines Igels vom Kopf ab. Mit einem

Tuch strich er durch das Gesicht, wobei dies nur wenig half.

Der gesamte Kopf des Zwerges wirkte wie ein einzelner Schatten, unter dessen Dreck man die Haut nur hätte erahnen können. Die zweite Gestallt blickte ebenfalls hoch, und Lucas erkannte junge weibliche Züge, die zwar auch von der Arbeit verdreckt wirkten, aber nicht so stark wie beim Zwerg. Ihre langen roten Haare waren zu einem Zopf gebunden, der den ganzen Rücken hinunterfiel. Sie lächelte Birger an, der nur zum Gruß nickte, doch bevor sie etwas hätte sagen können, ermahnte der Zwerg, wer ihr den erlaubte, ihre Arbeit zu vernachlässigen.

Dann begrüßte er Birger und deutete ihm, Platz auf einen der wenigen Stühle zu nehmen. Der Zwerg setzte sich ebenfalls auf einen, auch wenn er es erst beim zweiten Anlauf schaffte. Lucas blieb lieber etwas abseits stehen, denn er wollte die beiden nicht stören.

„Wie war deine Reise, Drogoms Sohn?“, fragte der Zwerg mit freundlicher Stimme.

„Leider nicht wie erwartet“, entgegnete ihm der Mann, wobei er wehleidig wirkte.

„Sie haben mich im Schlaf überrascht.“

Der Zwerg strich sich durch den Bart und lauschte für einen kurzen Moment dem Gesang des Stahles.

„Und er?“, wollte der Schmied wissen und wies dabei auf Lucas, der im Hintergrund weiter die Schwerter begutachtete.

„Ich habe ihn im Kerker der Kultistin kennengelernt, er half mir bei der Flucht“ erklärte Birger und wand sich zu dem Jungen.

„Stell dich vor.“

„Lucas Fidian, Herr Schmied“, begann Lucas rasch und hielt dem Zwerg die Hand hin.

Dieser reagierte darauf nicht, sondern lachte nur hämisch.

„Herr Schmied sagt er.“

Kichernd reichte er dann seine Hand zu Lucas „Junge, nenn mich Gregor, Sohn von Framinor.“ Dann runzelte er nachdenklich die Stirn.

„Fidian…. Sohn von Fidian dem Händler?“, erkundigte er sich bei Lucas.

„Ja, warum?, stutzte der Junge, doch der Zwerg winkte nur ab.

„Nicht so wichtig“, murmelte er nur.

Dann richtete er den Blick wieder an Birger und fragte:

„Ich nehme an ihr braucht eine Bleibe?“

Dieser nickte nur und Gregor schlug die Hände auf seine Oberschenkel.

„Gut, dann ist das entschieden. Ihr werdet euch das Zimmer mit Sophia teilen.“

Ein Misston im sonst so melodischen Klang des Stahls.

„Bei mir?“, stotterte eine weibliche Stimme.

„Ja bei dir. Oder habe ich sonst noch eine Gesellin mit dem Namen Sophia?“, entgegnete der Zwerg mit einer Stimme, die keinen Widerspruch duldete.

„Aber Meister, meint ihr nicht es wäre besser, ...“, wollte sich Sophia zur Wehr setzen und Lucas sah, wie sie merklich errötete und ihr Blick immer wieder auf Birger fiel, doch der bemerkte es nicht, oder wollte es nicht.

„Wo sollen sie den sonst schlafen?“, fiel ihr der Schmied ins Wort.

„Das andere Zimmer ist voll. Oder sollen sie vielleicht im Keller übernachten?“

„Ich...“, fuhr Sophia ihn an.

Die Faust des Zwerges fuhr auf die Tischplatte.

„Hör auf dich wie eine feine Dame aufzuführen“, donnerte es.

„Wenn es dir nicht passt, dann kannst du gehen.“

Diese Drohung hatte er schon oft ausgesprochen, und Sophia kannte sie bereits auswendig. Der Zwerg war jedoch froh, dass sie es nie in die Tat umsetzte, denn sie war die Einzige, die freiwillig mit ihm arbeiten wollte. Auch wenn das hieß dessen Launen, oder seine

Sturheit ertragen zu müssen. Er wusste schon lange, was sie für Birger empfand und auch, wie schwierig der Bursche sein konnte, da er ihn bereits seit dem Tage an kannte, als Drogom das erste Mal mit ihm nach Salzburg kam. Über die Jahre hatte er den heranwachsenden Krieger beobachtet, und hatte ihn ins Herz geschlossen. Zusammen mit seinem Vater waren sie die einzigen Personen, die er jemals als die Freunde bezeichnen würde, was selten bei Zwergen vorkam.

Als er dann das erste Mal sah wie Sophia auf den jungen Krieger reagierte, hatte er es sich in den Kopf gesetzt beide einander näher zu bringen und was ein Zwerg sich eingebildet hat, das bleibt so unverrückbar stehen, wie der Berg, aus dem er stammt.

Wortlos nickte das junge Mädchen nur und wand sich dann wieder ihrer Arbeit zu.

„Dein Vater war hier und hat etwas für dich da gelassen“, behauptete Gregor und stieg vom Stuhl.

Birger folgte ihm, als er mit tappelnden Schritten die Treppe hoch ging. Da Lucas nicht wusste, was er sonst machen sollte, schloss er sich nach kurzem Überlegen den Beiden an. Das obere Stockwerk führte zu einem schmalen Gang, der in drei Räume unterteilt war. Die erste Tür reichte zu Maras Kammer, die an den Lagerraum des Hauses grenzte, ihnen gegenüber lag das Schlafgemach von Gregor und dessen Frau Christopher. Die Tür zu Sophias Zimmer stand offen und als Lucas vorbei ging, blickte er kurz neugierig hinein. Seine Augen weiteten sich, als er das Chaos sah, das darin herrschte. Die Schubladen der Kommode schienen vollgestopft und hingen teilweise schief. Auf dem Boden stapelten sich Berge von Wäsche, wobei nicht zu erkennen war, welche frisch oder gebraucht waren. Der Tisch, dessen Holzplatte von Gegenständen übersäht war, war nur zu erahnen, und das Gleiche galt für die Stühle. Alles glich einem Chaos, wie Lucas es noch nie bei einem Mädchen gesehen hatte. Er selbst war nicht grade der Ordentlichste, doch verglichen mit diesem Durcheinander, nun da könnte man Lucas als organisiert bezeichnen.

Gregor hatte es anscheinend ebenfalls gemerkt, doch er kümmerte sich herzlich wenig darum. Er führte die beiden in den winzigen

Lagerraum, der vollgestopft war mit Rüstungen, Töpfe, kleinen Kesseln und ein paar wenigen Dolchen, doch lag alles fein säuberlich sortiert in verschiedenen Kisten. Manche jener waren an den Wänden befestigt, um mehr Platz zu schaffen. Erreichen konnte sie der Zwerg über eine lange Leiter, die bis zur Decke reichte. Auf dem kleinen Tisch in der Mitte lag ein gewaltiges, in Ledertüchern eingewickeltes Schwert.

„Ich hoffe du weißt, das Geschenk deines Vater zu schätze. Echte Zwergenarbeit!“, versicherte der Zwerg und fing an das Schwert zu enthüllen.

Eine silbrig matte Klinge kam zum Vorschein, von einer Länge von etwa eineinhalb Schritt, in dessen Kante rogolanische Buchstaben eingelassen waren. Er reichte es Birger, der es wie einen Schatz in den Händen betrachtete.

„Es ist so leicht“, wisperte Birger mit ungläubiger Stimme. Der Zwerg lachte.

„Es ist eine Mischung aus Eisen und Endurium.“

Die Augen von Lucas weiteten sich. Es war ein äußerst seltenes Metal, und darüber hinaus schwer zu verarbeiten. Auch Birger stand die Verblüffung ins Gesicht geschrieben. Wortlos betrachtete er die Klinge und führte ein paar Streiche damit aus.

„Ich werde meinem Vater auf ewig dafür danken“, fuhr er fort und fügte etwas auf Rogolan hinzu, dass Lucas nicht ganz verstand.

Das Stapfen schwerer Stiefel auf der Treppe zog die Aufmerksamkeit der Drei auf sich. Eine kleine Zwergenfrau näherte sich ihnen, wobei Lucas das Weibliche nur durch die hervorstechende Brust und das Fehlen des Bartes erkannte. Sie schien genauso groß wie Gregor, jedoch etwas massiger. Ihre feuerroten Haare waren zu zwei dicken Zöpfen geflochten, die auf die Schultern fielen. Sie trug eine Hose aus Leder, an deren Taschen, verschiedene Werkzeuge hingen, dessen Nutzen der junge Lucas nicht ganz erkennen konnte.

„Da seid ihr ja“, stellte sie fest und schob sich am Ritter vorbei, auf Birger zu.

„Gut dich wieder zusehen, Junge.“

Dabei klopfte sie ihm kräftig auf den Rücken, daraufhin redeten sie auf Rogolan weiter und Lucas entfernte sich etwas von ihnen, denn er wollte sie nicht belauschen.

Nach ein paar Momenten kam die Zwergin wieder lachend aus dem Räumchen und blickte auf Lucas, der sich mit der Schulter an die Wand anlehnte und vor sich hin träumte.

„Komm, du hilfst mir beim Kochen“, schlug sie vor und ergriff seine Hand.

Ihr Händedruck, war so fest, dass Lucas einen leisen Schmerzensschrei ausstieß.

„Stell dich nicht so an“, floskelte sie nur trocken und zog ihn hinter sich her.

Trotz ihrer kurzen Schritte hatte der Junge Schwierigkeiten mit ihr mitzuhalten. Sie zog ihn die Treppe hinunter an der Schmiede vorbei zu einer zweiten Stiege, die sich hinter der Holzverkleidung befand und zum oberen Stock führte. Die Küche lag im Keller und besaß in der Mitte mehrere Eichentische, die zu einem Großen zusammengerückt worden. Die Stühle ringsum waren ordentlich an den Tisch gerückt und besaßen die verschiedensten Formen. An den Wänden des Raumes standen Fässer, die offensichtlich als Aufbewahrung für Essen dienten. Die Zwergin machte sich auf den Weg zum Herd, der am anderen Ende aufgebaut war. Er war aus Eisen und im Inneren knisterte ein kleines Feuer.

„Du kannst die Erdäpfel waschen und schälen“, gab sie an und deutete auf ein großes Fass zur Rechten.

Sie selbst ging zum Herd und legte ein paar Kohlen nach.

Das Abendessen bestand aus deftig gebratenen Erdäpfeln mit großen Speckwürfeln und einer ordentlichen Portion Fleisch vom Vortag. Christopher tischte den beiden reisenden eine großzügige Ration auf, denn sie wollte ja nicht, dass diese vor Hunger vom Stuhl fielen. Doch egal wie erschöpft Lucas war, die Gier blieb aus. Die Gedanken schweiften immer wieder zu der Halbelfe und sein Blick wanderte oft zum Bogen, der in der Ecke zusammen mit seinen Sachen lag.

„Bedrückt dich etwas, Lucas?“, erkundigte sich Christopher, die sah, wie er gedankenverloren in dem Fleisch rumstocherte.

„Oder schmeckt es dir einfach nicht?“, fragte Gregor, der gierig auf den Teller schielte.

„Er hat seine Gefährtin an den Kultisten verloren“, erläuterte Birger mit mitleidiger Stimme.

Eine bedrückende Stille breitete sich am Tisch aus und Lucas merkte, wie alle Blicke auf ihn fielen.

„Gehört ihr der Bogen?“, flüsterte Sophia zögerlich.

Ihr war aufgefallen, dass der Junge immer wieder hinüber sah.

„Ja“, antwortete Lucas.

„Der Bogen und der Rucksack.“

Dann schob er Gregor den Teller rüber, der dankend über das Fleisch herfiel, wobei ihn seine Frau mit einem wütenden Blick ansah. Als alle fertig waren, entzündete er die Pfeife und sah Birger ernst an.

„Und du brichst morgen wieder auf", meinte der Zwerg und schüttelte dabei leicht mit dem Kopf.

„Bleib doch noch. Erhol dich doch noch etwas, oder geh mit Sophia zum Markt."

„Nein ich werde beim Rat erwartet", entschuldigte er sich schnell, und für Lucas bedeutete das wohl nun auch das Haus zu verlassen.

„Wenn es euch nichts aus macht...", fügte Marban zögernd hinzu.

„Könntet ihr Lucas noch ein wenig länger Unterschlupf gewähren?"

Der Junge horchte auf. Eigentlich war der Krieger ihm zu nichts verpflichtet und unser Ritter fragte sich innerlich über den Grund. Gregor zog an seiner Pfeife und blickte auf den Kerl, während er kleine Rauchwölkchen aufsteigen ließ.

„Ich weiß, was du vor hast, Junge, und der Gedanke kam mir vorhin ebenfalls“, beteuerte der Zwerg lächelnd.

„Solange er sich im Haus nützlich macht, kann er hier bleiben.“

Lucas sprang auf vor Freude.

„Das werde ich, Meister Gregor.“

Es war das erste Mal, dass ihm jemand eine hilfreiche Hand entgegenstreckte, zumal diese Personen ihn kaum kannten.

„Er schläft dann bei mir?“, fragte Sophia mürrisch, dabei erwartete sie die Antwort des Meisters schon.

„Gewiss“, lachte dieser.

Sophia riss sich hoch, wobei der Stuhl über den steinernen Boden kratzte.

„Ich gehe nach oben“, brachte sie nur hervor und stürmte die Treppe hoch.

„Gregor, jetzt hast du es zu weit getrieben“, fauchte ihn seine Frau an, die die Teller einsammelte.

„Wir machen dir die Tage einmal den Dachboden fertig“, murmelte sie dann an Lucas gewandt, der ihr beim Abwasch half, während Birger und Gregor auf Rogolan etwas beredeten.

Wenig später am Abend begleitete Gregor sie zu Sophias Kammer, die noch eifrig damit beschäftigt war die letzten Kleidungsstücke zu ordnen. Das Zimmer wirkte jetzt weniger wie der Kramerladen eines verrückten Verkäufers, zumal man endlich wieder die Farbe des Fußbodens erkennen konnte. Die beiden Männer bestanden natürlich darauf, dass die junge Dame das Bett behält, die durchaus glücklich darüber war. Birger lehnte sich in eine freie Ecke des Raumes und hüllte sich wieder in den Umhang, während Lucas sich unter dem kleinen Fenster hinlegte und den Kopf auf seinem Stoffsack platzierte. Lange lag er so da, betrachtete das Zimmer im fahlen Licht, das durch das Fenster eindrang und streichelte immer wieder über den Bogen, der vor ihm lag. Der Umhang, den er als Decke benutzte verströmte noch ihren Duft. Er verlor sich in der kurzen Erinnerung, doch der Schlaf wollte nicht kommen. Er richtete sich auf und blickte nach draußen. Die schmale Gasse war menschenleer, nur hin und wieder huschten Katzen die einsamen Straßen entlang. Ab und an torkelte ein betrunkener Bürger herum und lallte ein Lied, wobei er wirklich keinen einzigen Ton traf. Lange schaute er nach draußen.

„Kannst du auch nicht schlafen?“, erkundigte sich Sophia, die den einsamen beobachtet hatte.

Ohne sich umzudrehen, schüttelte er nur den Kopf. Sie schob die Decke beiseite und stand leise auf. Lucas hörte, wie der Boden sachte quietschte, und spürte dann eine Berührung auf seiner Schulter. Er drehte sich um und sah in Sophias Gesicht.

„Folge mir heimlich“, forderte sie und huschte auf Zehenspitzen zur Tür.

So leise er konnte, folgte er ihr auf den Flur, von dem ein gedämpftes Schnarchen drang. Als er die Tür gerade geschlossen hatte, sah er, wie Sophia nach oben sprang und an einem schmiedeeisernen Ring zog, die an der Decke befestigt war. Klackernd öffnete sich ein winziger

Deckel, aus dem ihnen auf magische Weise eine kleine Leiter entgegenkam. Noch bevor Lucas fragen konnte, was das Mädchen vorhatte, eilte diese nach oben. Der Dachboden war vollkommen leer, bis auf die Spinnen, die in manchen Ecken ihre Nester gebaut hatten. Getragen wurde das Dach von schweren Balken. Sophia war zur Mitte gegangen und öffnete nun eine kleine Holzklappe, die auf das Dach führte. Als Lucas den Kopf hinaus streckte, kam ihm ein angenehmer Lufthauch entgegen und für einen Moment schloss er die Augen, um ihn zu genießen. Er sah, wie Sophia sich auf das Dach legte, und nach oben zum Himmel schaute. Die Sterne funkelten hell auf das Haus hinab und das fahle Licht des Madamal erhellte die Gasse.

Lucas tat es ihr nach und für eine Weile starten beide wortlos auf das funkelnde Himmelszelt.

„Immer wenn ich nicht schlafen kann, komme ich hierhin“, meinte sie dann irgendwann.

„Musstest du an deine Gefährtin denken?“, neugierte sie vorsichtig, ohne Lucas verletzen zu wollen.

„Ja“, gab Lucas mit einer Stimme zu, in der eine tiefe Traurigkeit lag.

„Der Schmerz wird vergehen“, tröstete sie ihn und der junge Ritter wusste, dass sie Recht hatte.

Den Blick gen Mirabell gerichtet liefen seine Gedanken an die Begegnung im Dorf und an die Abende beim Lagerfeuer. Die Stunden vergingen und er merkte, dass Sophia bereits auf dem Dach eingeschlafen war. Behutsam legte er ihr den Umhang über. Zwar war es nicht außerordentlich kalt, jedoch wollte er nicht, dass sie sich einen Schnupfen holte. So blieb er auf dem Dach liegen, bis die ersten Strahlen der Praiosscheibe durch die Gassen fielen. Das Geräusch der Haustür hallte von den Wänden und der Junge richtete sich auf. Er sah Birger, der in seinen Mantel gehüllt das Haus verließ. Als er Lucas auf dem Dach erblickte, nickte er und machte sich dann auf den Weg. Der Junge blickte ihm lange nach und fragte sich, ob er ihn so schnell wiedersehen würde, doch da war ihm noch nicht bewusst, dass seine eigene Reise gerade erst noch vor ihm stand.

Kapitel 5

Mission des Rates

Die Siebenspann vergingen schnell und Lucas fühlte sich beim Schmied immer mehr heimisch. Um seinen Gastgebern nicht zu sehr zu Last zu fallen, half er, wo er nur konnte, außer in der Schmiede, denn diese war Gregors Reich. Er erledigte Einkäufe, kochte und durfte ab und an dem Meister und Sophia bei wichtigen Verhandlungen beiwohnen, wo es oft einen kräftigen Krug Bier zum Abschluss gab. Wenn es gerade einmal nichts zu tun gab, übte er auf dem Dachboden weiter den Umgang mit dem Schwert, welches er sich von Gregor geliehen hatte. Die Künste der Küche brachte ihm Christopher bei, die keine Meisterköchin war, sondern Bauleiterin, aber sie wusste, wie man hungrige Mäuler stopfte. Auch die Gesellin Sophia wurde offener und bei den gelegentlichen Gesprächen am Abend hatte sich zwischen den beiden so etwas wie eine Freundschaft entwickelt.

Bei den Besuchen auf dem Markt lernte Lucas immer mehr von der Kaiserstadt kennen, und schon bald konnte er sie auf eigene Faust erkunden, wobei es nicht selten vorkam, dass er sich trotzdem verirrte, aber er fand immer wieder zur Schmiede zurück. Das Wetter war von den milden Temperaturen des Spätsommers in den Herbst übergegangen und die ersten Blätter färbten sich bereits bräunlich. Lucas saß am Abend wie immer auf dem Dach des Hauses und beobachtete die untergehende Praiosscheibe.

Dies war zu seiner Gewohnheit geworden, wobei er hin und wieder von Sophia begleitet wurde. Anfangs verlief das Treffen zunächst schweigend, aber mit den Praiosläufen fingen sie immer mehr an sich in Unterhaltungen zu vertiefen. Die Gespräche halfen vor allem Lucas über den Schmerz und die Trauer hinweg zu kommen, doch als er Sophia eines Abends über ihre Gefühle zu dem jungen Krieger fragte, blockte sie nicht nur ab, sondern wechselte kein Wort mehr mit ihm. Zwei Praiosläufe waren seitdem vergangen und Lucas fing an ihre Gesellschaft zu vermissen. Er hörte, wie jemand die Leiter hinauf kam und richtete seinen Blick auf die geöffnete Holztür im Dach. Wenig später kam Sophias Kopf zum Vorschein und sie sah ihn verlegen an.

„Darf ich mich zu dir setzten?“, fragte sie leise.

Lucas lächelte sie an und rückte ein Stück zur Seite.

„Gewiss“, meinte er nur und schaute wieder in die Ferne.

Kaum hatte sich Sophia neben ihn gesetzt, da richtete sie auch das Wort an den Jungen.

„Du, ich wollte dich um Verzeihung bitten.“

Jener hob die Augenbrauen, denn eigentlich gab es nichts zu entschuldigen.

„Wofür?“

„Nun, ich habe mich in den letzten Praiosläufen wie ein kleines Kind verhalten.“

hr Blick senkte sich und Lucas merkte, dass es ihr offensichtlich schwer fiel.

„Es war nicht richtig dir gegenüber, du hast mir ja auch alles über deine Gefährtin offenbart.“ Nunja er hatte ihr nicht alles erzählt. Manche Dinge, vorrangig die Sache am Bach, hatte er für sich behalten.

„Schon gut“, beschwichtigte Lucas und für ihn war die Sache damit eigentlich beendet.

„Ich mag Birger, doch er scheint diese Gefühle nicht zu teilen“, behauptete sie mehr zu sich selbst, als zu Lucas.

„Schon damals als ich ihn das erste Mal sah, hatte er etwas Anziehendes.“

„Warum sagst du es ihm nicht einfach, wenn er das nächste Mal kommt?“, entgegnete der junge Mann ihr.

„Vielleicht teilt er deine Gefühle ja?“

Sophia vergrub ihren Kopf nachdenklich zwischen ihren Händen und seufzte.

„Meinst du?“, fragte sie mutlos und blickte aus den Augenwinkeln zu Lucas.

„Gewiss. Und falls nicht heiratest du eben einen reichen Schnösel“, ärgerte er sie ein wenig und kicherte hämisch.

„Ach Lucas“, stieß sie vor Empörung aus und stupste ihn mit der Schulter an.

Dann richtete sie sich auf und sagte lächelnd:

„Danke."

Bevor er etwas erwidern konnte, stieg sie wieder durch die Luke ins Innere. Ein wenig blieb er noch auf dem Dach sitzen, und genoss die Dunkelheit, bis er sich selbst ebenfalls in das improvisierte Bett auf dem Dachboden legte. Am nächsten Morgen weckte sie Gregor besonders früh, denn heute war der Tag, an dem sie zum Markt gehen sollten, um dort zu verkaufen. Der Zwerg hatte dafür extra einen Karren gemietet, um die schweren Güter zu transportieren. Die Kisten waren gefüllt, mit den verschiedensten Gegenständen, von Töpfen über Hufeisen, bis hin zu Rüstzeug in verschiedenen Größen.

Das Einladen der Kisten überließ der Zwerg Lucas, die Buchführung übernahm seine Gesellin Sophia. Gregor besaß von allen drei die wichtigste Aufgabe, den Handel mit dem Kunden, doch er hatte in den letzten Praiosläufen Lucas´ verborgenes Talent zum Handeln erkannt, offenbar eines, das er von seinem Vater geerbt hatte. Wenn er bei den Verhandlungen eines Auftrags beiwohnte, schaffte er es immer wieder ein paar Münzen mehr auszuhandeln. Über die Qualität oder die Art der Herstellung konnte der Bursche zwar überhaupt nichts sagen, doch dafür war er ja nicht da. Der Marktplatz war schon sehr belebt, und überall vernahm man die Stimmen der Marktschreier, die ihre Waren in den höchsten Tönen anpriesen. Einige Wachen schlenderten über den Platz und hielten nach verbotenen Gütern Ausschau oder sorgten für Frieden, wenn es mal wieder um die Einhaltung der Platzverteilung ging.

Sophia und Lucas bauten ihren Stand an einer besonders lukrativen Stelle auf, während sie von allen Seiten beobachtet und ihre Waren begutachtet wurden. Des jungen Ritters Aufgabe war es mit den Gütern, oft von ihm als Zwergenarbeit bezeichnet, mit seiner hallenden Stimme zu werden und den Preis auszuhandeln, während Sophia Fragen zur Herstellung beantwortete und mit interessierten Kunden neue Aufträge besprach. Über den ganzen Tag verteilt, waren sie viel beschäftigt und konnten sich vor Kundschaft kaum retten. Vor allem Dinge wie Hufeisen, Pfannen und normale

Gebrauchsgegenstände schienen sehr begehrt zu sein.

Als sie gegen Abend die teilweise leeren Kisten wieder auf dem Karren stapelten, war Lucas´ Hals ausgetrocknet vom vielen Rufen und die Stimme nur noch schwach zu vernehmen. Sophia überprüfte unterdessen die Anzahl der Waren und musste feststellen, dass drei Hufeisen und ein Dolch fehlten. Seufzend notierte sie sich die Menge der gestohlenen Güter und wand sich danach an Lucas.

„Ich muss eben noch etwas besorgen wartest du hier?“, fragte sie mit einer freundlichen, jedoch erschöpften Stimme.

Der junge Mann nickte nur und sah, wie sie in das Gewirr der Menschen eintauchte. Der Marktplatz hatte sich etwas geleert und hier und da begannen auch andere Händler ihre Waren zu verstauen. Sein Magen knurrte und bei dem Gedanken an das Abendessen lief ihm schon das Wasser im Mund zusammen. Ein plötzlicher eiskalter Griff an seiner Hand folgte und Lucas drehte sich reflexartig um. Weiße, lidlose Augen blickten in sein Gesicht. Die Alte, die vor ihm stand, hatte ihr Antlitz ganz nah an das seine gebracht und die dünnen Haare verfingen sich in fettigen Strähnen. Das Gesicht wirkte eingefallen und war von Falten durchzogen. Lucas wollte sich von ihrem Griff lösen, doch er konnte es nicht.

„Was einst verloren wird gefunden,…“, fing sie mit einer unheimlichen Stimme an und bevor Lucas etwas erwidern konnte, fuhr sie fort.

„… getrennt durch Feuer, es wird sein.“

Der Junge spürte, wie sich der Griff der Alten mit unmenschlicher Kraft verfestigte.

„Aus goldenem Meere schwarze Schwingen sich erheben, das einstige Grauen kehrt wieder heim.“

Mit ganzer Kraft stieß er die verrückte Frau von sich weg, die stolperte und zu Boden fiel. Eine erregte Menschenmenge hatte sich um die Beiden versammelt und von weitem war das schwere Stapfen der Marktwachen zu hören. Als die Alte wieder auf die Beine kam, spuckte sie Lucas vor die Füße und schrie:

„Der Tod wird dein Begleiter sein, wenn die purpurne Dämmerung naht!“

Zwei Wachen bahnten sich einen Weg durch die Menschen und ergriffen die alte Frau. Diese schrie unverständliche Worte in die Menge und tobte so sehr, dass die Kerle Schwierigkeiten hatten sie zu bändigen. Ein dritter Wachsoldat trat an Lucas heran, dessen Gesicht kreidebleich geworden war. Der Soldat besaß eine tiefe Narbe, die sich über das rechte Auge zog und kurzes, graues Haar. Bekleidet war er mit dem Salzburger Waffenrock und einem Eisenhut und schaute Lucas an.

„Alles in Ordnung, Junge?“, erkundigte sich der Wachmann, doch der Ritter war noch zu geschockt, als das er hätte antworten können.

„Herr Hauptmann, was sollen wir mit ihr machen?“, fragte einer der beiden Wachsoldaten, die gerade der Frau eiserne Handschellen anlegten.

„Na in den Kerker mit ihr“, rief er seinen Untergebenen entgegen.

Die Alte schrie und tobte, als die Wachen sie durch die Menschenmenge führten. Lucas sah den Hauptmann an und wollte ein ‚Habt, Dank' entgegnen, jedoch fehlte ihm die Stimme.

„Geht es dir wirklich gut?", löcherte ihn nun der Hauptmann erneut und der junge Lucas nickte nur stumm, noch etwas benommen vom Schock, doch in Wahrheit war es nicht so.

Sophia wusste nicht, was auf dem Marktplatz vorgefallen war, als sie ihre eigenen Besorgungen gemacht hatte, doch war ihr das merkwürdige Verhalten von Lucas nicht entgangen. Als sie an der Schmiede ankamen, war er ohne ein Wort zu sagen zu seinem Dachboden geeilt. Gregor und Christopher hatten an diesem Abend beide keine Zeit, dem viel mehr Beachtung als nötig zu schenken, sondern widmeten sich dem Geld zu, und welchem Anteil jedem zustand. Mit einer kleinen Kerze in der Hand bestieg das Mädchen die Leiter und erreichte den Dachboden, der in kompletter Finsternis lag. Sie blickte sich um, jedoch erkannte sie im schwachen Licht der Kerze nur wenige Umrisse.

„Lucas?“, fragte sie leise in den Raum und begutachtete sein Bett, das jedoch verlassen war. Ein Geräusch vom hinteren Teil des Zimmers erschreckte sie so sehr, dass sie die Kerze fallen ließ. Das Feuer erlosch und Finsternis umgab sie. Sie stöhnte auf und versuchte sich tastend zu orientieren.

„Bitte, bleib“, hörte sie Lucas hinter sich.

„Wo bist du?“, flüsterte sie zögerlich in die Finsternis und folgte dem Klang seiner leisen Stimme.

Mit ausgestreckten Armen ging sie Schritt für Schritt näher, dann fühlte sie mit den Fingerspitzen einen warmen Körper vor sich.

„Ich hab Angst im Dunkeln“, beteuerte sie und zog Lucas näher an sich.

Jener hingegen mochte die Dunkelheit. Hier konnte er alleine sein und er fühlte sich dort sicher und geborgen.

„Was ist passiert?“, erkundigte sie sich abermals und spürte wie Lucas sich entfernte.

Im Düsteren erkannte sie, dass er sich nicht weit von ihr auf den Boden setzte. Wortlos folgte sie ihm und drängte sich dicht zu ihm. Für eine lange Zeit herrschte Schweigen, bis Lucas ihr schließlich von der alten Frau erzählte.

„Das war alles so unheimlich“, wisperte er.

„Zerbrich dir darüber nicht den Kopf, denn sie war bestimmt nur verwirrt“, versuchte sie ihn aufzumuntern.

„Und wenn sie recht hat und der Tod wirklich mein Begleiter ist?“

Tränen liefen dessen Wange hinunter.

„Wenn du auch durch mich…“

Trotzig schwang sie sich auf seine ausgestreckten Beine und setzte sich vor ihm hin. Dann kramte sie etwas aus ihrer Tasche und griff um Lucass Hals, bevor dieser reagieren konnte. Sie knotete den Lederband zusammen und mit einem zufriedenen Lächeln blickte sie den jungen Mann an. Seine Hand fuhr zum Hals und ertastete ein kleines Amulett in Form eines Hammers.

„Das habe ich für dich gemacht“, versicherte sie.

„Ich habe es für dich von einem Zwölfgöttergeweihten segnen lassen.“

Lucas blickte ihr in die Augen.

„Es wird dich beschützen.“

Der junge Mann war sprachlos. Er umarmte sie, so fest er konnte, und hauchte ihr einen leisen Dank in ihr Ohr. Als er seine Umarmung löste, fuhr sie mit der linken Hand über sein Gesicht. Er näherte sein Kopf an ihren. Die Arme umschlossen ihre Hüfte.

„Wir..“, wollte sie leise Widerspruch einlegen, doch sie merkte, dass sie die Bewegung erwiderte.

In den Vergangenen Wochen hatte sie den jungen Mann immer besser kennen gelernt und in der Tat hegte sie einige Gefühle für ihn. Bis jetzt hatte sie sich geweigert, da sie stets der Meinung war, ihre Zuneigung galt Birger, doch vor allem die Gespräche in der letzten Zeit hatten ihr verdeutlicht, dass Lucas sie mehr verstand, als der Krieger es je getan hatte.

Des Ritters Finger tasteten ihre weiblichen Kurven nach, glitten unter ihr Leinenhemd und Sophia genoss das leicht kitzelnde Gefühl, die warmen Handflächen auf ihrer Haut. Daraufhin merkte sie, wie er die Lippen entfernte und die Arme senkte. Sie legte ihre Hände auf die seinen und schaute ihn fragend an.

„Keine Angst, sie werden uns nicht stören", versprach sie und wollte ihn küssen, doch Lucas legte den Kopf zur Seite.

„Darum geht es nicht", säuselte er mit kaum vernehmbarer Stimme.

„Was ist es dann?", fragte sie und bedachte Lucas mit einem Blick, dem er kaum widerstehen konnte.

Er lehnte den Kopf an die Wand hinter ihm, während Sophia auf seinen Oberschenkeln höher rutschte.

„Ich mag dich und ich möchte dich nicht verletzen“, kündigte er ab und Sophia merkte, worauf er hinaus wollte.

„Ich mag dich auch, Lucas“, lächelte sie und küsste ihn.

„Es muss nicht bei dieser einen Nacht bleiben.“

Das Zimmer lag noch immer in der tiefen Dunkelheit des Vorabends, als er eingeschlafen war. Ein merkwürdiger Geruch stieg ihm in die Nase, einer, den Lucas nicht ganz einordnen konnte. Er stand auf und wollte gerade die Holztüre des Daches öffnen, als er ihn sah. Auf einem Holzstuhl, ganz in der Nähe, saß er und rauchte eine Pfeife. Das fahle Licht der Glut erhellte nur die Nase und wurde durch die dunklen Augen reflektiert.

„Bist du wach?“, erkundigte sich nun Birger und ließ ein kleines Rauchwölkchen aus der Nase emporsteigen.

Verschlafen rieb sich Lucas die Augen und nickte, auch wenn er sich fragte, seit wann der Krieger da schon saß.

„Gut dann zieh dich an, wir müssen gleich los."

Fragend blickte der Junge ihn an.

„Wohin?", entgegnete er ihm, wobei seine Stimme sich sehr verschlafen anhörte, doch Birger erhob sich nur und ging wieder nach unten, während Lucas sich nur am Kopf kratzte.

Birger hatte sich gerade von der Leiter abgewandt, als er Sophia entdeckte, die ihren Kopf aus der Zimmertür streckte. Er nickte nur zum Gruß, so wie er es immer getan hatte, und wollte hinunter in die Küche gehen. Doch Sophia versperrte ihm rasch den Weg.

„Seit wann bist du hier?", bemerkte jene, dass er nicht besondern erfreut über das Gespräch war.

„Seit gestern Nacht", bestätigte er mit seinem typisch kühlen Tonfall.

„Und wo geht ihr hin?", fragte sie weiter, doch anstatt zu erwidern, versuchte Birger nur, einen Weg an ihr vorbei zu finden.

„Antwortest du mir auch mal?“, wurde sie energischer und versperrte ihm dabei jeden Weg.

Als er das Haupt hob, schaute Sophia ihm tief in seine dunklen Augen und erkannte den gleichgültigen Blick, den er ihr schon so oft zugeworfen hatte. Ein unbehagliches Schweigen lag in der Luft und lange schauten sie einander an.

„Ich bin dir keine Antwort schuldig“, meinte er trocken und schob sie zur Seite.

„Dann geh doch!“, schrie sie ihm hinterher.

Es war weniger die Aussage, die sie verletzte, sondern der gleichgültige Tonfall, vor allem tauchte er immer aus heiterem Himmel auf und verschwand genauso schnell wieder.

Das Schlimmste jedoch für sie war, dass er Lucas nochmals mitnehmen würde, die Person, welche für sie in den letzten Wochen immer da war. Tränen liefen ihr über die Wange und sie stapfte wütend in ihre Kammer.

Lucas hörte, noch wie die Tür zugeknallt wurde und als er an ihrem Zimmer vorbeiging, vernahm er, wie sie leise weinte. Wenige Momente später verließen Birger und der Junge das Haus. Lucas schaute zu Sophias Fenster hinauf, doch die Vorhänge waren so dicht, dass er nichts erkennen konnte. Er wusste nicht, wohin sie gehen würden oder ob er wieder zurückkomme. Birger hatte bisher jede Antwort verweigert, auch jetzt, wo sie durch die menschenleeren Straßen schlenderten, richtete er kein Wort an Lucas. So folgte er ihm, und seine Gedanken kreisten dabei umher und versuchten das Ziel ihrer Reise zu erahnen.

Vor einem Haus blieb Birger plötzlich stehen. Lucas blickte auf. Es handelte sich um ein nobles Steinhaus, deren Eingang von bewaffneten Soldaten bewacht wurde. Die hohe Hecke erstrahlte in einem satten Grün und versperrte die Sicht in den Garten. Die Wachen waren schwer Gerüstet und trugen einen rot weißen Waffenrock, der ihnen bis zu den Knien reichte. Auf der Brust zierten, ein Greif zur Linken und eine Leunin zur Rechten den Brustpanzer. Lucas kannte diese Art von Wappen nicht. Sie schlugen die Faust zum Bizeps und verneigten sich vor dem jungen Krieger, der den Gruß erwiderte. Lucas folgte ihm in den Garten des Anwesens und war überwältigt. Das Haus bestand aus einer hohen Kuppel, die zu beiden Seiten in zwei kleinere Gebäude überging. Von der Größe her zu beurteilen bot das Konstrukt Platz für rund 40 Personen, was einer kleinen Akademie entsprach. Die schwere Holztür des Hauses war umgeben von einem hohen steinernen Portal. Mit einem Knarren wurde die Tür geöffnet, und die beiden Männer nach innen gebeten.

Die Kuppel war hell erleuchtet und bestand aus weißem Stein. Es herrschte reges Treiben innerhalb des Gebäudes. Männer und Frauen, die Kriegs massig bewaffnet erschienen, streiften durch den Saal. Hier und da tauchten auch einige Zwerge aus der Menge auf und Birger blickte sich um, so als suche er jemand bestimmten.

„Ah da seid ihr ja, Sohn von Drogom“, freute sich eine ernste Stimme und Lucas erblickte ein hoch gewachsener Mann, der die Robe eines Praiosgeweihten trug.

Der Krieger verbeugte sich und erwiderte.

„Euer Gnaden.“

Der Geweihte besaß ein ernstes Gesicht und war von einer Aura der Strenge umhüllt. Die Hände waren vor seinem Bauch zusammengefaltet. Er musterte Lucas und wandte dann wieder das Wort an Birger.

„Das ist also der junge Krieger?“

Dieser nickte wortlos und der Geweihte blickte erneut auf den einsamen Ritter.

„Gut. Kommt mit die Anderen warten schon.“

Damit drehte er sich um und die beiden Männer folgten ihm. Lucas wusste nicht, was er hier sollte, noch worum es ging, doch er vertraute Birger und so zerbrach er sich nicht den Kopf darüber. Sie schritten durch breite Gänge, die ebenfalls hell erleuchtet waren. Nach einiger Zeit erreichten sie eine gewaltige Tür, die auf beiden Seiten von einem aus Stein gehauenen Greifen und einer Löwin geschmückt wurden. Der Geweihte öffnete die Tür und ein großer Raum kam zum Vorschein. An den Wänden standen Bücherregale, die bis zur Decke ragten und gut gefüllt schienen. Auf dem Boden lagen ebenfalls ein paar Bücher, die ordentlich gestapelt worden sind. In der Mitte des Raumes stand ein großer Arbeitstisch, der überfüllt war mit Schriftrollen. Am Tisch saßen bereits zwei Personen, eine Frau, die ein langes Kettenhemd besaß, sowie ein Zwerg, mit einem ledernes Hemd. Die Frau hatte braune Haare, die sie offen trug. Mit ihren blauen Augen musterte sie die eintretenden Personen. Der Wicht hingegen war in ein Buch vertieft, aus dem er gelangweilt aufblickte.

„Bitte nehmt Platz", lud der Geweihte des Praios und deutete auf die zwei kleinen Stühle, die am Tisch noch frei waren. Er selbst setzte sich in den verzierten Sessel zwischen der Frau und dem Zwerg.

„Nun, Sohn des Drogom", fing der Geweihte an

„Wir sollten uns dem jungen Söldner erst einmal vorstellen."

Er zeigte zu der Dame auf der rechten Seite.

„Die Geweihte der Fatima Kerstin, als Repräsentantin der Fatima Kirche."

Die Frau schlug ihre Faust auf die Brust und senkte leicht den Kopf. Dann deutete der Praiot auf den Zwerg.

„Felix, Sohn des Brun, ehemaliger Ausbilder an der Akademie Xorlosch und Vertreter der Zwerge.“

Der Wicht hob zum Gruß den Krug, wobei er immer noch mit dem Blick in seinem Buch vertieft war. Er schenkte der Unterhaltung anscheinend nicht viel Beachtung.

„Und zu Letzt und am wichtigsten, meine Person. Christopher Prain, Geweihter des Fürsten Praios und Stellvertreter der Praioskirche.“

„Der ist doch noch ein Bübchen“, behauptete die Geweihte Kriana, als Christopher seinen Satz beendet hatte.

„Seid ihr euch sicher, dass er uns von Nutzen sein kann, Drogoms Sohn?“

Birger nickte und stand von seinem Stuhl auf.

„Er hat mir geholfen zu fliehen und darüber hinaus hat er schon eine akademische Ausbildung absolviert."

Lucas blickte fragend in die Menge. „Entschuldigt, aber welche Aufgabe?"

Alle Blicke richteten sich auf ihn und er befürchtete, was Falsches gesagt zu haben.

„Wir sind die Vertreter des Rates der Drei, ein Zusammenschluss der drei Kirchen der Fatima, Angrosch und Praios, zur Vernichtung der Namenlosen Sekte", erläuterte Kriana mit fester Stimme.

„Drogoms Sohn hat dich bei uns als Anwärter vorgeschlagen."

„Ja deswegen wollen wir heute mehr über dich erfahren und über deine Motivation", ergriff nun wieder der Praiosgeweihte das Wort.

„Er möchte helfen", entgegnete Birger rasch. Die Miene von Christopher wurde noch ernster.

„Das möchten wir sicherlich von dem jungen Krieger selbst hören. Ach, ich vergaß, er ist ja kein Krieger, oder, Sohn von Drogom?“

Ein ironisches Lächeln erschien auf dem Gesicht des Praiosdieners.

„Ihr sagtet doch er sei ein Krieger.“

Er hob nun die Fatimageweihte das Wort und blickte empört zu Birger.

„Nun… ich..“, versuchte, dieser sich zu verteidigen, wobei ihm die Anspannung sichtlich anzumerken war.

„Der Fürst der Zwölf duldet keine Lügen, und ich keine in meinem Haus!“, hallte die erboste Stimme von den Wänden des Raumes.

„Euer Haus?“, erwiderte die Geweihte der Fatima spöttisch.

„Dieses Anwesen wurde auf heiligem Boden errichtet. Darüber hinaus hat eure Kirche den einst so prächtigen Fatimatempel, der einst hier stand, zerstört!“

„Schweigt“, rief der Zwerg mit donnernder Stimme, wobei er von seinem Buch aufblickte. „Deswegen sind wir nicht hier.“

Sein Blick fiel auf den Jungen.

„Erzähle was, Bursche.“

Lucas gehorchte und erzählte von dessen Herkunft, seinem Verweis von der Akademie, der Halbelfe und den Überfall des Kultisten und dem Ende in den Flammen.

Schweigend betrachteten die Geweihten ihn.

„Eine Halbelfe...“, ertönte die Stimme des Zwerges.

Er legte das Buch zur Seite.

„Na, dann ist es auch nur halb so schlimm.“

Christopher blickte ihn grimmig an.

„Spart euch die Witze, Herr Zwerg“, fauchte er ihn an.

„Jetzt wissen wir jedoch wenigstens was mit dem Kultisten des Namenlosen passiert ist. Ich werde diese Tat weder gut noch schlecht heißen, jedoch bin ich mir über eure Motivation nicht ganz sicher.“

Lucas verstand nicht, was der Geweihte damit sagen wollte.

„Ich stimme dem bei“, merkte die Fatima an.

„Der Rat der Drei ist einem Höheren Ziel verpflichtet als Rache. Die Hinrichtung des Kultisten beruhte auf Rache und dies kann ich nicht gut heißen. Für einen Dienst im Zeichen der Drei halte ich euch, junger Fidian, für ungeeignet.“

Lucas blickte mutlos zu Boden. Er spürte, wie alle Blicke auf ihn gerichtet waren. Anklagend. Er griff zu dem Amulet an seinem Hals und fasste Mut.

„Vielleicht ist es Rache die mich antreibt“, begann er langsam.

„Aber ich weiß auch was Recht und Unrecht ist.“

Er hob den Kopf und sah in die verwunderten Blicke der Würdenträger. Sein Wille stand fest.

„Ich bin kein vollwertiger Krieger und auch kein Geweihter, noch bin ich der Klügste oder der Stärkste. Bisher hatte ich keinen Platz im Leben. Doch ein Krieger hat mir die Augen geöffnet. Er glaubt an mich und das ist die erste Person in meinem Leben die dies tut."

Lucas blickte zu Birger hinüber, der ihm aufmunternd zunickte. „Deswegen stehe ich hier vor euch. Ich möchte mich einem höheren Ziel hingeben, meinen Beitrag leisten, damit diese Welt in Frieden leben kann. Und wenn die Götter wollen, so soll Praios mein leitendes Licht sein, Fatima mein Schild und Angrosch die Flamme in meinem Herzen."

Schweigen erfüllte die Halle.

Das waren mit Abstand die klügsten Worte, die er jemals zusammen bekommen hatte und innerlich dankte er seinem Bruder, der ihn hin und wieder mit solchen Schwafeleien nervte. Die Geweihten blickten einander an.

„Ich mag den Burschen“, behauptete der Zwerg mit einem breiten Grinsen.

„Mich hat er überzeugt.“

Der Praiosdiener stöhnte.

„In der Tat. Nicht besonders gelehrte Worte, doch du sprichst mit einem wahren Herzen und wahren Worten. Worten an denen ihr, Drogoms Sohn, euch ein Beispiel nehmen könnt.“

Eine schier endlose Pause folgte, bis er schließlich sagte

„Ich stimme ebenfalls zu.“

Der Blick der Geweihten Kirana ruhte lange auf den jungen Lucas.

„Ich hege immer noch Bedenken“, gestand sie mit ernster Miene.

„Doch haben mich eure Worte berührt, sodass ich der Entscheidung ebenfalls zustimme.“

Lucas dankte den anwesenden Würdenträgern und verbeugte sich viele Male.

„Es sei", meinte der Praiot und läutete mit einer winzigen Klingel.

Ein kleiner Junge trat ein, der einen weißen Gambeson und einen Waffenrock mit sich führte und es dem Praiot überreichte, dann verließ er wieder den Raum.

„Nun du wirst direkt unter Drogoms Sohns Kommando unterstellt werden. Er wird dein Ausbilder, sowie Vorgesetzter sein."

Er stand auf und ging um den Tisch herum.

„Jedoch zählst du nicht als direktes Mitglied der Armee des Rates, sondern zunächst nur als Söldner. Durch diesen Status bist du nicht an den Moralkodex gebunden, oder an damit einhergehende Verpflichtungen. Deine Aufgabe wird es sein Diener des Namenlosen aufzuspüren und der Justiz zu übergeben."

Lucas nickte, obwohl die Aufgabe sehr gefährlich klang.

„Du besitzt jedoch nicht die Befugnis Verdächtige zu exekutieren. Verdächtige

Personen müssen festgenommen werden und der Kirche, oder der Justiz übergeben werden."

Die Miene des Praioten wurde wieder ernster und Lucas spürte seinen drohenden Blick. „Missachtung führt zu Entlassung aus dem Dienst, bei schweren Vergehen auch bis zu einem Strafvollzug."

„Bist du sicher, dass du der Aufgabe gewachsen bist?", fragte Kirana.

Lucas brauchte einen Moment um zu Antworten. Er dachte an den Kerker, die Angst um die Halbelfe und in seinen Gedanken sah er sie vor sich.

„Ja. Bei allen zwölf Göttern, das bin ich", antwortete er mit fester Stimme.

Die Würdenträger zeigten sich zufrieden und begrüßten das neue, wenn auch noch nicht vollwertige, Mitglied im Kampf gegen den Namenlosen.

Als sie wieder in der Schmiede ankamen, trug Lucas bereits den Gambeson und den rot weißen Waffenrock, den er von den Vertretern des Rates bekommen hatte. Kein Feuer brannte an der Schmiede und auch kein Klingen der Werkstatt war zu hören. Birger kümmerte sich nur wenig darum und ging wortlos nach unten in die Küche.

„Sophia?“, rief Lucas nach oben, doch er erhielt keine Antwort. Langsam stapfte er nach oben und klopfte an ihre Tür.

„Geh weg!“, schrie sie von der anderen Seite der Tür. Lucas versuchte, die Tür zu öffnen, doch sie war verschlossen.

„Mach doch die Tür auf“, forderte er und klopfte erneut, doch er erhielt keine Antwort. Mürrisch setzte er sich vor ihre Tür, denn irgendwann müsse sie ja rauskommen.

Die kommenden Monate würde ihn Birger unterrichten und ihm noch ein paar Dinge beibringen, doch im Winter erfülle er seinen ersten Auftrag. Gedanklich malte er sich aus, welche Abenteuer er zu bestehen hatte, adelige Damen retten, die sich dann natürlich bei ihm bedanken würden, oder an die ruhmreichen Kämpfe, die er austrägt. So saß er einige Zeit da. Doch als die Stunden vergingen, schlenderte er irgendwann genervt nach oben.

„Frauen“, zischte er nur, als er schweren Schrittes die Leiter hinaufging.

Er öffnete die kleine Holztür des Daches, lehnte sich an die Wand und folgte dem Lauf der Praisoscheibe, die durch die Wolken die warmen Strahlen auf sein Gesicht warf. Ein lauer Lufthauch umspielte seine Nase und er lauschte dem Gesang der Vögel, die vorbei flogen.

Das Madamal schien in dessen silbernen Glanz durch die Nische zwischen den Häusern, als Lucas wieder erwachte. Sie sah ihn mit einem Lächeln an. Ihre Augen waren leicht gerötet und die roten Haare tanzten im silbernen Schein. Sophia saß wie am Abend zuvor auf seinen Oberschenkeln und spielte nervös am Saum ihres Kleides, welches einfache Muster aufwies. Zum ersten Mal sah er sie nicht in ihrer Arbeitskleidung und in seinen Augen wirkte die sonst so schüchterne und verdreckte Gesellin, wie eine anmutige junge Edeldame.

„Ich dachte du wachst nie auf“, flüsterte sie mit leiser Stimme und blickte verlegen zu Boden. Lucas rieb sich die Augen und gähnte.

„Wie lange bist du schon hier?“, fragte er sie mit verschlafener Miene.

Sophia zuckte nur mit den Achseln und strich mit den Fingern über den neuen Waffenrock.

„Geht es dir wieder gut?“, fragte er sie erneut und suchte dabei ihren Blickkontakt, doch Sophia wich ihm aus.

Einige Zeit saßen sie so da, bis das Mädchen den Blick hob.

„Gehörst du jetzt auch zum Rat?“, erkundigte sie sich mit leicht zitternder Stimme.

Lucas nickte nur und sogleich war das Mädchen die Arme um seinen Hals und drückte ihn an sich.

„Bitte geh nicht“, hauchte sie ihm ins Ohr.

Unwillkürlich erwiderte er die Umarmung.

„Noch werde ich nicht weggehen“, versuchte er, sie etwas zu ermutigen.

„Und ich werde so oft ich kann zurückkommen.“

Sophia löste die Umarmung und schaute Lucas mit festem Blick in die Augen. „Versprichst du es mir?“, fragte sie mit einer Stimme, bei der kaum jemand hätte nein sagen können.

Der Ritter nickte und ein Lächeln erschien auf Sophias Gesicht.

„Damit gehörst du mir“, stellte sie noch fest, als sie Lucas küsste, bevor dieser etwas erwidern konnte.

Sanft schob er ihren Kopf zurück und blickte sie fragend an.

„Was meinst du damit?“

Sie wich seinem Blick aus, doch er hob die Finger zu ihrem Kinn und hob sanft ihren Kopf. Lange blickten sie einander in die Augen.

„Ich...“, fing sie an und ihr Antlitz errötete merklich. „... mag dich Lucas...sehr sogar.“

Sophia merkte, dass es ihr schwer fiel, ihm diese Worte ins Gesicht zu sagen, doch als sie in ihrem Zimmer mit ihren Gedanken alleine war, wurde ihr klar, dass sie nicht sauer auf Birgers

Worte war, sondern Angst davor hatte Lucas zu verlieren.

Für sie war die Begegnung mit ihm und das gemeinsame Zusammenleben mehr als nur Zufall, es war eine Weisung der Götter.

„Aber Maraba…“, holte Lucas aus, doch Sophia legte ihm den Finger auf die Lippen.

„Du warst im letzten Götternamen öfters für mich da, als er in seinem ganzen Leben. Deswegen will ich bei dir bleiben.“

Dann machte sie sich daran den ersten Knopf ihres Kleides zu lösen.

„Und ich möchte, dass du bei mir bleibst.“

Ihre Finger glitten hinab zum Zweiten, doch bevor sie ihn lösen konnte, spürte sie Lucas´ warme Hände auf der ihren. Er schaute in ihr dezent gerötetes Gesicht, merkte, wie ihre Ärmchen vor Nervosität leicht zitterten.

„Berühr mich, so wie gestern“, sagte sie leise und verführerisch.

Lucas wusste nicht, was sich Sophia davon versprach, doch er hatte Mühe dieser Stimme und jener Schönheit zu widerstehen. Langsam glitten seine Handflächen zu dem Knopf und wie von einer fremden Hand geleitet, sah er, wie er einen nach dem anderen öffnete. Sophias weiße Haut kam zum Vorschein und Lucas merkte wie seine Erregung wuchs. Im Licht des Madamal wirkte sie auf eine Art und Weise anziehend, wie er es noch bei keiner anderen verspürt hatte. Das Kleid wanderte ihr über die Schultern und viel auf ihre Oberschenkel. Mit den Händen bedeckte sie ihre zarten Brüste und spürte, wie des Jungen Finger ihren Bauch hinauf glitten.

„Versprichst du mir, das du immer für mich da bist?“, bat sie ihn mit zitternder Stimme. Lucas blickte auf und tastete langsam unter ihre Hände.

„Ja, das werde ich“, hauchte er leise und küsste sie.

Er spürte, wie sie ihre Hände hob, und ihn gewähren ließ. Sie genoss den seine festen Griffe, die Wärme, die von jenen ausging. In dieser Nacht gaben sich beide der Lust und der Zuneigung, die sie für einander empfanden, hin.

Sophias Kopf lag auf seiner Brust und er sah, wie sich ihr Brustkorb langsam hob und senkte. Er hatte sich schon wieder von der Lust überrumpeln lassen und Dinge versprochen, von denen er selbst nicht wusste, ob er sie halten konnte. Sich am Kopf kratzend schaute er auf ihren teilweise entblößten Körper. Eine echte Schönheit war sie, das musste er zugeben, jedoch vermochte er nicht zu sagen, ob seine Gefühle für sie nur auf Begierde beruhten, oder ob er zu mehr imstande sein könnte. Er blickte zum Bogen, der in der Nähe auf dem Boden lag. Die Gedanken streiften zur Begegnung im Wald, und er merkte, dass er sich kaum noch an ihren Geruch erinnern konnte. Die Erinnerung verblasste langsam, doch der Schmerz des Verlustes blieb nach wie vor. Er strich Sophia über die Haare und daraufhin blickte er der anstehenden Dämmerung entgegen. Vielleicht würde er irgendwann seine Gefühle für sie entdecken und wahrlich glücklich mit ihr werden.

Der Schein der Praiosscheibe tauchte die weißen Wolken in ein helles Rot, das am

Horizont in ein kräftiges Gelb überging. Die ersten Vögel wurden munter und stimmten ihre Lieder an. Auch das Treiben in den Gängen wurde immer geschäftiger und langsam erwachte Sophia aus ihrem Schlaf. Zunächst reckte und gähnte sie laut. Verschlafen schaute sie zu Lucas auf, der sie glücklich anlächelte. Dann setzte sie sich wieder auf dessen Oberschenkel und warf den Umhang, den sie als Decke benutzt hatten, um sich beide. Eng kuschelte sie sich an seinen entblößten Oberkörper, der muskulös und sehr Carina-gefällig gebaut war.

Seine Hände umschlossen die weiblichen Rundungen ihrer Hüfte und er zog sie eng an dessen Körper.

„Gestern Abend war wunderschön“, beteuerte Sophia mit verlegenem Gesicht.

Lucas war sich darüber im Klaren, und das nicht nur wegen Sophias Erregung in der Nacht, sondern weil er wusste, wie man eine Frau berühren muss.

Er war, was dies anging, nun ja besonders fingerfertig.

„Du bist wunderschön, weißt du das?“, wandte er sich zu ihr, und sah, wie ihr Gesicht errötete.

Sophia lehnte sich etwas zurück, der Mantel öffnete sich ein wenig und Lucas erblickte ihre weiße Haut. Das Licht der aufgehenden Sonne erhellte ihre Haare und für einen Moment hielt Lucas den Atem an. Er war geblendet von diesem Bild. Es wirkte, als säße Carina höchst selbst auf den Lenden. Mit traurigem Blick, schaute sie in seine Augen.

„Wirst du wirklich immer für mich da sein, Lucas?“, fragte sie ihn, während dessen Finger über ihre weiche Haut fuhren.

Er hielt inne und ergriff ihre Hand. Sanft legte er sie auf seine Brust. Sophia spürte den rythmischen Schlag des Herzens und für einen Moment glaubte sie, dass alles um sie herum still stand.

„Spürst du es?“, fragte er sie.

Ohne den Blick von ihrer Hand zu heben nickte sie nur leicht.

„Es schlägt nur noch für dich!“, versprach er daraufhin mit fester Stimme.

Mit einem zufriedenen Lächeln hob sie den Kopf. Endlich hatte sie jemanden gefunden, der ihre innersten Gefühle erwiderte und sie fühlte sich darin bestätigt, dass dieser Mann für sie bestimmt war. Sie ließ den Umhang über ihre Schultern zu Boden gleiten. Lucas zog ihren Kopf sanft zu sich und küsste sie.

Als die Beiden endlich in die Küche gingen, war es bereits später Mittag. Gregor und seine Frau verweilten heute den ganzen Tag nicht Zuhause und würden erst am nächsten Abend zurückkommen. Gerade als Lucas und Sophia in die Küche eintraten, erblickten sie Birger, der am Tisch saß und in ein Buch vertieft war. Er blickte die Beiden mit erschöpften Augen an und senkte wenig später den Blick wieder.

„Auch schon wach?“, gab er sich gelangweilt.

Lucas merkte, wie Sophia den Griff um seine Hand verstärkte und ihn zum Herd hinter sich her zog.

„Kochst du was?“, fragte sie ihren Liebsten und blickte ihn mit großen Augen an.

„Nun wenn du mich so darum bittest“, antwortete er und machte sich an die Arbeit.

Birger erhob sich von seinem Stuhl und ging zur Treppe.

„Morgen fangen wir mit dem Training an, Lucas“, kündigte er an und drehte sich zu den beiden um.

„Keine Angst, wir kommen abends immer wieder.“

Dann nickte er Sophia zu, die es mit einem kleinen Lächeln annahm. Als er die oberste Stufe erreichte, rief er den beiden noch zu:

„Bitte seid heute Nacht etwas leiser.“

Sophias Gesicht wurde so rot wie die Tomate, die sie gerade Danieleilte.

„Das ist doch unsere Sache!“, plärrte sie dem Krieger entgegen.

Lucas fing an zu Lachen. Sophia stieß ihr Becken gegen das seine und sagte mit leiser Stimme. „Du bist schuld“, und lächelte ihn daraufhin verlegen an.

Kapitel 6

Gefährliche Reise

Der erste Schnee bedeckte die Dächer der Stadt und ein kalter Luftzug blies durch die Straßen. Am kahlen Baum lief ein Eichhörnchen zur Erde hinab und suchte nach etwas essbarem. Menschen in dicken Mänteln eingehüllt wanderten an der Schmiede vorbei. Zwei Buben bewarfen sich gegenseitig mit Schneebällen, die weiße Linien in der Luft hinterließen. Lucas beobachtete lange die umherlaufenden Menschen. Nur mit einer Hose bekleidet blickte er aus dem Holzverschlag des Daches und nippte hin und wieder an seinem warmen Tee. Sein Körper hatte durch die Übungen während der letzten Götternamen deutlich an Kraft zugenommen, und formten nun die Umrisse eines stattlichen jungen Mannes.

Das schmiedeeiserne Amulett hing noch immer um seinen Hals. Er war lange nicht mehr auf dem Dachboden gewesen, sondern hatte sich das Zimmer mit Sophia geteilt. Sie war die Frau, die nun an seiner Seite stand und er an ihrer. Er liebte sie. Oder das war zumindest das, was er sich immer einredete. Der Blick fiel zu Boden, auf den Bogen, der in der Ecke verstaubte. Leise Schritte auf der Treppe zogen seine Aufmerksamkeit auf sich. Sophias Kopf lugte hervor und als sie Lucas erblickte, lächelte sie.

„Hier bist du also“, bemerkte sie und trat näher auf ihn zu.

Er nahm sie in den Arm und küsste sie. Lange schauten beide auf das Treiben der Menschen.

„Heute ist der Tag“, entgegnete Lucas schließlich. Sophia nickte nur stumm und löste ihre Umarmung.

„Versprichst du mir, dass du heil wiederkehrst?“, fragte sie ihn mit flehendem Blick.

Lucas küsste sie erneut und versprach dann:

„Ja, ich werde zu dir zurückkommen.“

Mit einem zufriedenen Lächeln ging Sophia wieder nach unten, denn sie musste noch die Überraschung für ihren Geliebten vorbereiten.

Als sie gegangen war, beugte sich Lucas zum Bogen hinunter und hob ihn auf. Behutsam wickelte er ihn in den Umhang der Halbelfe, der daneben lag.

„Ich werde wiederkommen“, flüsterte er und ging wieder nach unten.

In Sophias Zimmer waren seine Sachen schon gepackt und alles reisefertig verstaut. Auf dem Tisch lagen Ausrüstungsgegenstände, die Gregor ihm bereitgelegt hatte. Ein Kettenhemd, Armschienen und eine Kürass. Nichts Prunkvolles, sondern eine Ausrüstung für einen Söldner. Behutsam zog er ein Kleidungsstück nach dem andern an. Der weiße Gambeson schien durch das matte Kettenhemd hindurch und ließ Arlik wie einen edlen Krieger wirken. Die einfache Kürass, die Brust und Rücken bedeckte, bot ihm optimalen Schutz vor Stich- und Hiebwaffen. An seinem Gürtel in einem kleinen Täschchen befand sich das kupferne Siegel, das ihn als Angehörigen des Rates identifizierte. Als er nun die Treppe zur Schmiede herabstieg, wartete Birger und Sophia bereits auf ihn. Der Krieger nickte ihm zum Gruß zu und Lucas erwiderte es.

„Jetzt siehst du aus wie ein Söldner“, ertönte Gregors Stimme und der Zwerg quetschte sich zwischen den Beiden durch.

„Habt Dank. Ich werde dich dafür entlohnen, sobald ich meinen ersten Sold bekommen habe“, versprach Lucas und verbeugte sich hochachtungsvoll.

„Das will ich auch hoffen“, antwortete der Zwerg.

Sophia nahm Lucass Hand und reichte ihm etwas Schweres.

„Für dich“, lächelte sie und küsste ihm auf die Wange.

Es war ein Rabenschnabel, wie Lucas ihn bereits aus von der Akademie her kannte.

„Möge er dich beschützen.“

Dann drehte sie sich rasch zu Birger um und zeigte mit dem Finger auf ihn.

„Dass du ihn mir ja gesund wieder zurück bringst.“

Dieser nickte nur mit der sonst so ernsten Miene.

Lange blickte er der Schmiede nach. In ein paar Götternamen käme er wieder, doch zunächst, würde er mit Birger eine wichtige Mission für den Rat ausführen, gedankenverloren und voller Skepsis, ob er der Aufgabe wirklich gewachsen war, folgte er dem Krieger durch die Menge. „Zweifel nicht an dir, zusammen werden wir die Geweihte des Namenlosen finden", schielte Birger zu Lucas und lächelte ihm leicht zu, um ihn aufzumuntern.

Dies gab ihm neuen Mut und mit raschen Schritten verließen sie die Stadt durch das Nordtor. Auf in den Beginn eines großen Abenteuers. Zur Mittagsstunde hatte sich bereits eine lange Schlange von Menschen gebildet, die auf Einlass in die Kaiserstadt warteten. Vor allem Händler wollten auf dem Markt neue Vorräte kaufen, bevor der Winter die Handelsstraßen unpassierbar machen würde. Die meisten Menschen in der Menge waren einfach gekleidet und nur wenige von ihnen schienen besonders wohlhabend, bis auf einen hoch gewachsenen Mann, der auffällig aus der Menge hervorstach.

Die langen dunkelblonden Haare hingen seinen gesamten Rücken hinunter und wirkten besonders gepflegt. Der kurze Bart umrahmte das Gesicht und verbarg das leicht hervorstehende Kinn. Das lange Warten war ihm sichtlich unbehaglich, denn seine braunen Augen wirkten erschöpft und müde.

Sein Name war Florian Fidian, ältester Sohn des Händlers Leron. Er stützte sich auf seinen Eichenstab, der ihn bis zu den Augen reichte und an dessen Spitze ein kleines Feuer loderte, das ihn wärmte. Ziel der Reise war die Akademie in Salzburg, wo er eine Zeit lang seinen Studien nachgehen würde, aber auch ein Treffen mit dessen Vater war geplant, wessen Brief er vor wenigen Siebenspan erhalten hatte. In jenem beschrieb er den Verlust des Bruders Lucas, der während seines Wachdienstes von Banditen überrascht worden war. Dies war offensichtlich eine Lüge, denn Florian kannte den Bruder.

Er war vielleicht nicht so gebildet wie er selbst, jedoch besaß er etwas, das man nicht mit Geld kaufen konnte. Glück, und davon eine unverschämt große Portion. Nachdem er seine Nachforschungen in der Nähe von Großgmain beendet hatte, war er selbst nach Balioh gereist, denn dort hatte Meister Petros ihm mitgeteilt, dass sein Vater Lucas mit nach Salzburg genommen hatte. Das Murmeln der Gestalt neben ihm riss ihn aus seinen Gedanken. Das Geschöpf war kleiner als er selbst und merklich dicker, wobei dies durch die Kleidung nur so wirkte. Eingehüllt in mehrere warme Lagen und das Gesicht verborgen durch einen dicken Schal und den Kopf verdeckt durch die Wollmütze, blickten ihn nur runde grüne Augen an.

Florian seufzte.

„Wie oft habe ich gesagt rede anständig!“, fauchte er die Person zu seiner Linken an.

Die hob die in Handschuhe eingehüllten Arme und zog den Schal unter das Kinn. Ein anmutiges Gesicht kam zum Vorschein, jedoch war nicht zu erkennen, ob es zu einem Mann oder einer Frau gehörte.

„Ich meinte, wie lange es noch dauert“, entgegnete ihm eine liebliche Stimme.

„Es dauert solange, wie es eben dauert“, antwortete der Magier mit einem genervten Tonfall.

Er mochte es nicht, wenn man ihn warten ließ. Dabei war es nicht die Kälte, die ihn störte, sondern die schmerzenden Beine.

„Nimm deine Mütze ab, damit die Wachen dich besser erkennen“, ordnete er noch an und deutete auf das Haupt seines Begleiters.

Schmollend gehorchte die Gestalt und lange blonde Haare fielen ihr auf die Schultern. Leicht spitz zulaufende Ohren kamen zum Vorschein und viele Händler blickten bei dieser hübschen jungen Dame gerne mehr als einmal hin.

„Was wirst du in der Stadt treiben, tala?“, fragte sie ihn mit großen Augen.

Ein Blick folgte, der viele Männerherzen schwach machen würde. Doch nicht Florian, er stand über solchen belanglosen Dingen.

„Erstens“, ermahnte er die Halbelfe, die er vor wenigen Praiosläufe verirrt in einem Dorf fand.

„Magus Barna für dich, und zweitens hab ich doch gesagt, dass ich meine Studien fortsetzten möchte."

Diesen Namen hatte er irgendwann auf seinen Reisen angenommen, da viele Menschen meinten, nur weil er der Sohn von Fidians sei, besäße er eine große Menge Geld oder könnte ein gutes Wort bei seinem Vater einlegen. Sein neuer Name schützte ihn vor unangenehmen Fragen, oder vor verärgerten Kunden von jenem.

Als sie endlich an der Reihe waren, blickte der Wachsoldat Florian an und hakte ein:

„Name und Ziel eurer Reise?"

„Magus Barna, und das Ziel meiner Reise ist meine Angelegenheit", erwiderte der Magier mit seinem sonst so überheblichen Tonfall.

Die Miene des Wachsoldaten wurde ernst.

„Dürfte ich den Herrn Magus dann wenigstens höflichst darum bitten sein Feuer zu löschen?"

Widerwillig kam Florian der Aufforderung nach.

„Und ihr?“, wandte er sich an die Halbelfe.

„Ich bin Pfadsucherin und suche Lucas“, stellte sie mit stolzer Stimme klar.

„Ah ja“, murmelte der Soldat mit einem ironischen Tonfall.

„Viel Erfolg, bei so einem seltenen Namen.“

Darauf deutete er ihnen weiterzugehen. Er wollte diese beiden so schnell wie möglich loswerden. Die Halbelfe ging ein paar Schritte vor dem Magier und bestaunte mit großen Augen die imposanten Gebäude der Stadt. Offensichtlich war dies der erste Besuch von ihr in der Kaiserstadt und mit einem Lächeln erinnerte sich der Magier an jenen Tag. Auch er war immer noch überwältigt von der Architektur und von den verschiedensten Arten der Personen, die darin hausten. Heute betrachtete er die Stadt mit mehr Abstand, sie war voll, laut und teilweise verdreckt und innerlich sehnte er sich nach Ruhe, doch er war nicht zum Vergnügen hier, sondern hatte wichtige Aufgaben zu erledigen. Er verstand oft nicht, wie die Menschen es in einer so vollen Stadt aushalten könnten, gar sich zurechtfinden. Jede

Straße sah für ihn gleich aus und er musste mehrmals die Stadtwachen nach dem Weg fragen. Nach einiger Zeit erreichten sie endlich den imposanten Laden seines Vaters. Das Schild hing an einem eisernen Stab, der an der dunkelgrünen Fassade des hohen Gebäudes befestigt war. Mit verschnörkelten Buchstaben stand mit hellroter Farbe der Name des Ladens auf dem Schild. Fidian, Schmuck und Edelkleider. Im großen Schaufenster hingen edle Kleider und Westen, deren Preis für einfache Bürger unerschwinglich war.

In kleinen gläsernen Vitrinen bewahrten sie sicher kupferne, silberne und sogar goldene Ringe und Ketten auf. Ohne mit der Wimper zu zucken öffnete Florian die massive Holztür und die Halbelfe folgte ihm. Der Innenraum des Ladens war von einer angenehmen Wärme erfüllt und durch einen schweren Kerzenhalter an der Decke erleuchtet. Direkt neben der Tür saß ein kräftiger Mann, dessen Oberarme so dick waren, wie Florians Kopf. Er besaß eine Glatze und blickte ihn nun mit einem zwielichtigen Blick an. Im Inneren des Ladens befanden sich weitere Vitrinen, dessen Inhalt leicht funkelte. Sein stämmiger Vater, bediente gerade zwei edle

Kunden, eine mit Pelzen behangene Frau, die mehrere Ringe begutachtete, während ihr Mann mit Florians Vater über den Preis verhandelte. Der Magier stellte sich in eine Ecke des Raumes und wartete, bis die Unterhaltung beendet wurde. Unterdessen bestaunte die Pfadsucherin die verschiedensten Schmuckstücke, die den Laden zierten.

Nachdem sein Vater die Kunden zufrieden zum Ausgang begleitet hatte, drehte er sich zu seinem Sohn um.

„Florian, gut dich wiederzusehen."

Mit den kurzen Beinen ging er auf den Magier zu, wobei sein massiger Körper von der einen Seite zur anderen schwankte. Mit offenen Armen nahm Florian seinen Vater in Empfang, der seit der letzten Begegnung merklich an Gewicht zugenommen hatte. Der Blick des Papas wanderte zu der jungen Dame.

„Ich sehe, du hast dir eine Gefährtin zugelegt, und dazu noch eine so hübsche" lobte er und klopfte dem Sohn auf den Rücken. Die Halbelfe blickte die beiden verwundert an.

„Sie ist nicht das was du denkst, Vater", brabbelte Florian mit einem gleichgültigen Tonfall.

„Ich habe sie zufällig auf dem Weg getroffen, aber.."

Dann blickte er den Vater mit ernster Miene an. „.. ich würde gerne wissen, wieso du mich in dem Brief belogen hast."

Der Vater wirkte merklich angespannt und sein Blick wanderte zur Halbelfe.

„Das müssen wir nicht vor ihr klären", meinte er und führte den Magier durch eine Tür in ein Nebenzimmer.

Florian lehnte sich an die steinerne Wand der Diele und verschränkte die Arme vor der Brust, während er den Vater beobachtete. Der brauchte einige Zeit um über die folgenden Worte nachzudenken. Nervös tupfte er sich mit seinem Taschentuch den Schweiß von der Stirn.

„Wie war deine Reise?", fragte er schließlich den Magier, der ihn erbost ansah.

„Lenk nicht ab, Daddy“, fauchte Florian ihm entgegen.

Der Zauberer wusste, dass sein Vater ihn respektierte, wenn nicht sogar ein wenig fürchtete.

„Bei den Zwölf, was möchtest du von mir hören, Florian?“, fragte der Händler mit erhobener Stimme, wobei er anfing, nervös auf der Stelle auf und ab zu gehen.

„Du kennst deinen Bruder. Er ist ein fauler und dummer Taugenichts und als ich von seinem Verweis der Akademie erfuhr, da habe ich... nun..“

„Da hast du was?“

Florian blickte ihm tief in die Augen.

„Nun da habe ich ihn in der Nähe des Waldes ausgesetzt. Du...“

Der Vater kam nicht dazu, den Satz zu beenden, denn Florian packte ihn beim Kragen. Sein Blick war voller Hass für diesen kleinen dicklichen Mann.

„Du hast was?“, schrie er ihm entgegen.

„Wie konntest du nur!“

Der Vater löste den Griff und stieß Florian von sich.

„Ich habe das getan, was richtig war. Lucas war immer schwierig und er hätte unseren guten Ruf in den Dreck gezogen.“

Er konnte nicht glauben, was er gerade gehört hatte. Fassungslos schüttelte er den Kopf.

„Florian, du bist mein wahrer Sohn, mein Erbe und du wirst mich nie enttäuschen.“

Er versuchte, die Hand des Filius zu ergreifen, doch jener schlug die Hand mit seinem Stab weg, dann ging er zur Tür und öffnete sie.

„Freue dich, Vater“, meinte er und wandte sich zu ihm.

Sein Blick war eiskalt und die tiefe Verachtung, die er für seinen Papa empfand, war nicht zu übersehen.

„Durch deine Taten hast du beide Söhne verloren."

Wütend stürmte der Magier zurück in die Geschäftsräume und ergriff den Arm der Halbelfe. Noch bevor diese etwas sagen konnte, zog er sie aus den Laden auf die Straße und erst, als sie sich einige Schritte entfernt hatten, ließ er sie los.

„Was ist passiert?", fragte die Pfadsucherin ihn, doch er schüttelte nur wütend den Kopf.

„Nichts", fauchte er ihr entgegen, blickte sich um und dachte einen Augenblick nach.

„Hast du eine Bleibe hier in der Nähe?", erkundigte er sich, wobei sein Gesicht immer noch seine innere Wut zeigte. Die Halbelfe schüttelte den Kopf.

Der Magier holte tief Luft.

„Nun gut, lass uns erst einmal etwas essen, dann sehen wir weiter."

Daraufhin wandte er sich von ihr ab und schritt durch die Menschenmasse. Lächelnd folgte ihm die Halbelfe, in froher Erwartung auf ein leckeres Mahl. Lustlos stocherte Florian in den Erdäpfeln herum. Der Ärger über seinen Vater war noch präsent. Dieser hatte ihn schon immer bevorzugt. Nunja, er war auch der erfolgreichere Sohn, während sein Bruder keine nennenswerten Talente aufwies. Doch Florian hielt stets zu jenem, der ihn in seiner Kindheit vor Rüpeln beschützt hat. Lucas war immer für ihn da, wenn er ihn brauchte. Er war die einzige Person, mit der er sich verbunden fühlte und jetzt irrte er irgendwo umher.

„Magst du nichts essen?", hörte er die liebliche Stimme der Halbelfe.

Der Magier blickte von seiner bereits zerlöcherten Kartoffel hoch. Die Taverne war gut besucht und das Schlagen der Löffel auf den Holzschüsseln war allgegenwärtig. Die Schenke war zwar unter dem, was Florian gewohnt war und nur widerwillig begab er sich hinein. Nun er war nicht gerade gut betucht und konnte sich den Luxus einer besseren Unterkunft im Augenblick nicht leisten.

„Nein das ist es nicht“, versicherte er schließlich.

Er wollte nicht vor der Halbelfe seine Lebensgeschichte ausbreiten, zumal das nicht ihre Angelegenheit war. Auf der Reise hatte er dieses Geschöpf aufgenommen, das verzweifelt nach dem Weg nach Salzburg suchte. Da der Magier schon immer von Elfen und deren Verständnis für die Zauberei begeistert war, hatte er sich dazu bereit erklärt zu helfen, doch stellte sich nach kurzer Zeit heraus, dass sie ihm mehr schaden würde, als sie ihm vom Nutzen sein könnte. Die Pfadsucherin hatte ein eigenartiges Geschick dafür, aufgrund ihrer Unwissenheit, Schwierigkeiten förmlich anzuziehen und mehr als einmal musste der Magier, all seine Redegewandtheit einsetzten, um schlimmeres zu verhindern.

„Denkt bitte daran, dass du in Salzburg keine Magie einsetzten darfst“, ermahnte der die Halbelfe, die ihn nur verdutzt ansah.

„Warum, tala?“

Die Pfadsucherin verstand nicht, weshalb dies ein Problem sein sollte. Sie war mit der Magie aufgewachsen und kannte solche Verbote nicht.

„Nun du gehörst weder einer Gilde an, noch einer Elfensippe, von daher ist es dir nicht gestattet in der Stadt Magie einzusetzen."

Die Halbelfe nickte nur und wand sich wieder ihrem Essen zu.

Nachts konnte Florian keinen Schlaf finden. Und das nicht nur, weil er sich ein Bett mit der Pfadsucherin teilen musste. Albträume plagten seine Ruhe, die Angst um den Bruder, der wahrscheinlich hilflos umherirrte, wenn nicht sogar Schlimmeres. Auch sein Buch, ‚Die mythische Sprache der alten Drachen, welches er im Schein der Kerze las, half ihm nicht diese Angst abzuschütteln. Seufzend schlug er das Buch zu und strich über den ledernen Umschlag, der abgegriffen aussah. Dann blickte er in die Flamme der Kerze. Fest wie ein in Stein gehauenes Bild stieg diese empor und formte einen roten Lichtkegel. Er schaute nach draußen, wo die dicken Schneeflocken schwer vom Himmel fielen.

„Wo immer du bist, Bruder…“, hauchte Florian in den Raum. „… komm zurück.“

Dann blies er die Kerze aus und versuchte, so bequem es eben ging, auf dem Stuhl wenigstens für ein paar Momente Schlaf zu finden. Das Wetter war umgeschlagen und ein heftiger Schneesturm wirbelte die weißen Flocken umher. Die dunklen Mäntel der beiden Soldaten waren bereits durchnässt und lagen auf ihren Schultern. Der Wind pfiff scharf vorbei und übertönte das schwere Stapfen ihrer Stiefel im Schnee. Der Weg vor ihnen war kaum zu erkennen und der Schneesturm so dicht, dass sie kaum zwei Schritt weit blicken konnten. Lucas sehnte sich nach einem Feuer, an dem er sich jetzt hätte wärmen können. Zunächst war die Reise in den ersten Praiosläufen ruhig und ohne Schwierigkeiten verlaufen, doch nun würde ihnen das Wetter deutliche Probleme bereiten.

„Wir müssen einen Unterschlupf finden, sonst werden wir den Sturm nicht überstehen!“, rief Lucas seinem Begleiter entgegen, wobei dessen Worte teilweise durch die Böen übertönt wurden.

Birgers Gesicht war kreidebleich, und die Augen wirkten erschöpft. Er nickte dem Jungen zu und zog den Kopf tief in die Kapuze seines Mantels.

„Alles in Ordnung?“, fragte Lucas ihn, doch der Krieger schritt mit wackligen Beinen voran.

So stapften sie weiter, in der Hoffnung bald ein Haus oder ein Dorf zu erreichen.

Birgers Tempo wurde mit der Zeit deutlich langsamer und seine Schritte immer wackeliger. Zunächst nahm der junge Ritter an, dass es am tiefen Schnee lag, doch bevor er ihn erneut fragen konnte, fiel der Krieger nach vorn. Das Weiß bedeckte rasch seinen dunklen Umhang. Sogleich lief Lucas zu ihm und zog ihn aus dem Schnee nach oben. Die Augen des Kämpfers wirkten leer und seine Zähne klapperten vor Kälte. Unser Freund versuchte, eine Antwort von ihm zu erhalten, doch Birger antwortete nicht. Ohne weiter darüber nachzudenken, lud er sich den Krieger auf seinen Rücken. Die Beine schmerzten, als er sich erhob und nach wenigen Schritten kippte er durch das zusätzliche Gewicht zur Seite. Der Schnee bedeckte dessen Gesicht, doch er ignorierte die Kälte und hob seinen Gefährten erneut hoch.

„Komm schon Lucas“, bat er sich immer wieder selbst, und die Oberschenkel brannten vor Schmerz.

Während er versuchte, weiter nach vorne zu marschieren, schrie er, so laut er konnte um Hilfe, doch niemand antwortete ihm. Die Kehle brannte und seine Muskeln zuckten heftig. Bald würde er den Begleiter nicht mehr auf dem Rücken tragen können, doch er musste stark sein und seinen Freund vor dem kalten Schnee schützen. Plötzlich und ohne Vorwarnung, gab sein linkes Bein nach. Das Knie auf dem Boden abstützend erwirkte er abermals, zu Atem zu kommen. Seine letzten Kräfte sammelnd erhob er sich wieder, wobei er merkte, dass ihm langsam die Sinne verließen. Er schrie weiter um Hilfe. Nach ein paar Schritten rutschte er auf dem Schnee aus und fiel erneut hin. Diesmal besaß er nicht mehr die Kraft, sich aufzurichten. Seine Beine schmerzten und er merkte, wie die Kälte ihn umgab.

Als Birger die Augen öffnete, schielte er auf eine massive Holzdecke, auf deren Oberfläche unruhig das Licht einer Kerze fiel. Ein lautes Schnarchen durchzog den Raum. Neugierig blickte er sich um. Die Kerze stand auf einem Tisch, nicht weit von ihm, auf dem verschiedene Bücher und Bündel mit Kräutern lagen. Auf einem Stuhl saß Lucas, der die Quelle des Schnarchens war. Das Feuer im steinernen Kamin war bereits erloschen und glimmte unruhig. Dicht dran saß eine weiße Schneeeule, die ihn mit schiefem Blick ansah. Der Raum wirkte zwar voll und die Regale waren überladen mit Tonkrügen und Holzschalen, jedoch besaß alles eine gewisse Ordnung. Das Krächzen der Eule übertönte Lucas´ schnarchen und für einen Moment musste Birger vor Schreck den Atem anhalten. Das Tier blickte ihn weiterhin an, wobei sie den Kopf zur rechten Seite neigte. Ein warmer Gegenstand lag auf dem Bauch und er hob ein wenig die Decke. Er erblickte eine fremde Hand, die auf seinem entblößten Oberkörper ruhte. Langsam folgte er dem Arm, wobei ihn ein leichter Anflug von Panik überkam.

Eine Frau, deren Gesicht durch ihre schulterlangen schwarzen Haare verdeckt wurde, lag neben ihm. Erschrocken von dieser fremden Person schnellte er aus dem Bett hervor, rutschte mit der Hand aus und fiel rückwärts vom Bett. Sein Kopf schlug auf den harten Boden auf. Einen Moment lag er so auf dem Fußboden, während die Eule ihn immer noch verdutzt musterte. Birger hörte das Rascheln der Decke und kurz darauf schauten helle blaue Augen auf ihn hinab. Das Gesicht der Frau kam zum Vorschein, das einen auffallend dunklen Teint besaß, wie er es von Tulamiden kannte. Von der Lebenszeit her schätzte er sie vielleicht eine Hand voll Götterläufe älter ein als er selbst.

„Ah du bist wach“ stellte sie lächelnd fest und so schnell, dass Birger, so benommen, wie er gerade war, kaum ein Wort verstand.

„Geht es dir wieder besser?“, entwich es ihr neugierig und sie brachte ihr Gesicht ganz dicht an das seine.

Der Krieger nickte nur. Diese Frau war ihm unheimlich, und das nicht nur wegen ihrer aufdringlichen Art. Er kannte weder die Umgebung, noch erinnerte er sich an die Umstände des Aufenthalts und das bereitete ihm

Unbehagen. Das Letzte woran er sich erinnern konnte, war die Wanderung im hohen Schnee und... Sie schnippte ihm mit dem Finger gegen die Nasenspitze und riss ihn damit aus seinen Gedanken.

„Sagst ja nicht besonders viel“, merkte sie an mit einem fragenden Tonfall, wobei ihr Lächeln immer noch ihr Gesicht schmückte.

„Wo.. Wo bin ich?“, stotterte der Krieger schließlich und sein Blick wanderte zu Lucas, dessen Schnarchen weiterhin durch den kleinen Raum hallte.

„Na bei mir“, antwortete die Fremde und Birger war mit dieser Antwort sichtlich unzufrieden.

Sanft drückte er sie an den Schultern zurück und baute sich langsam auf. Er betastete die schmerzende Stelle am Kopf, die, Angrosch sei Dank, nicht blutete. Sein Blick viel auf die Frau, die sich auf dem Bett sitzend, wieder in die dicke Decke kuschelte.

„Soll ich dich noch etwas wärmen?“, schlug sie mit einem verführerischen Blick vor und hob die Decke.

Die Augen des Kriegers wanderten an ihrem Laibchen hinab, das der Fantasie nur wenig Spielraum gab.

„Zieht euch bitte etwas vernünftiges an“, meinte er nur und wandte den Blick ab.

„Du bist merkwürdig“, bekräftigte die Frau nur und machte es sich auf dem Bett bequem.

Der junge Krieger hob sein Hemd auf, welches neben dem Kamin auf dem Boden lag. Die Rüstung und das Kettenhemd, die ebenfalls an diesem anlehnten, hatten ihren Glanz verloren und wiesen große rötliche Flecken auf. Eine leise Verfluchung murmelnd hob er den Brustpanzer und betrachtete ihn im fahlen Licht der Kerze. Der Rost konnte zwar mit Leichtigkeit entfernt werden, jedoch hatte er das nötige Werkzeug in der Schmiede vergessen. Murrend legte er das Rüstungsstück nieder und nahm das Schwert seines Vaters an sich, dann ging er zum Tisch und schüttelte mit der freien Hand den schlafenden Gefährten solange, bis dieser ihn mit verschlafenen Augen anblickte. Lucas gähnte und streckte sich auf dem Stuhl, der unter seinen Bewegungen quietschte.

„Ah du bist endlich wach“, freute er sich und blickte auf die Frau, welche in der Decke eingehüllt auf dem Bett lag.

„Wer ist das?“, flüsterte ihm Birger ins Ohr.

Lucas brauchte einige Zeit, um zu antworten, da er gerade aus einem so lieblichen Traum gerissen wurde.

„Natascha“, entgegnete er.

„Sie hat uns im Schneesturm gefunden und geholfen.“

Der Krieger musterte die zierliche Dame. Wie sollte eine Frau von ihrer Statur zwei ausgewachsene Männer mit Rüstung transportieren, geschweige denn hochheben. Er wurde misstrauisch und langsam glitt seine Hand zur Waffe.

„Lass dein Schwert stecken“, befahl die Frau, doch Birger blickte sie nur grimmig an.

„Oder ist es da wo du her kommst üblich seinen Helfer zu erschlagen?“

Die Faust umschloss den Griff des Schwertes so fest, dass die Knöchel des Kriegers weiß wurden. „Und wie sollte eine Frau von eurer Statur uns beide alleine hierhin getragen haben?“

Die Frau lächelte wieder.

„Dummkopf, niemand hat gesagt ich habe euch hier rein getragen.“

Der Griff um den Knauf lockerte sich und verwundert blickte er die Frau an.

„Ihr seid nur ein paar Ellen vor meiner Tür im Schnee zusammengebrochen. Du hattest sehr hohes Fieber und Lucas lag unter dir. Er hat dich ins Bett getragen, nachdem ich ihm mit einem Trank geholfen habe wieder zu Kräften zu kommen.“

Der Blick des Kriegers wanderte zu seinem Gefährten. Der Junge hatte ihm also das Leben gerettet und dabei sogar sein eigenes riskiert.

Dieser nickte ihm nur zu, da es für Lucas eine Selbstverständlichkeit war.

Birger wand sich erneut an Natascha.

„Verzeiht mein Misstrauen und meine unüberlegten Worte. Wenn ich es irgendwie bei euch wieder…“

Er kam nicht dazu, den Satz zu beenden, denn Natascha brach ich schallendes Gelächter aus.

„Hör´ auf zu reden als sei ich eine feine Dame.“

Birger lächelte verlegen, er schämte sich, für seine hitzige Art. Natascha hob die Decke ein wenig und warf ihm wieder einen verführerischen Blick zu.

„Du solltest dich noch etwas ausruhen, denn ganz gesund bist du noch nicht.“

Das Lächeln auf dem Gesicht des Kriegers verschwand und augenblicklich wurde er knallrot.

„Nein danke“, schämte er sich mit nervöser Stimme.

Offenbar war es ihm unangenehm. Natascha rollte die Augen und erhob sich langsam aus dem Bett.

„Du musst dich aber wirklich ausruhen."

Daraufhin nahm sie einen dicken Wollmantel und warf ihn über ihre Schulter.

„Wenn dir meine Anwesenheit so missfällt, dann kannst du das Bett für dich haben."

Sie wollte gerade Holz nachlegen, um das Feuer wieder anzufachen, als ihr auffiel, dass der Eimer mit den Holzscheiten leer war. Seufzend drehte sie sich zu Lucas.

„Ich gehe eben Holz holen und du achtest, dass er sich wieder hinlegt."

Damit ging sie zur Tür und ließ sie alleine. Birger ging abermals zum Bett und lockerte die Decke etwas auf.

„Wieso hast du dich nicht zu ihr gelegt?", löcherte ihn Lucas mit verschlafener Stimme.

„Also ich meine, sie ist ja eine hübsche Dame."

„Es ist kompliziert“, bestätigte Birger nur und für ihn war die Unterhaltung damit beendet, jedoch nicht für den Ritter. Der blickte ihn nur verwundert an.

„Magst du etwa Männer?“, fragte er den Krieger.

Lucas hatte gehört, dass es Menschen gab, die anders waren, was die Auswahl ihrer Partner anbelangte, doch hätte er nie gedacht, so eine Person kennen zu lernen, gar als seinen Freund zu bezeichnen. Der Krieger blickte den Gefährten mit einem fassungslosen Blick an.

„Sicher. Du musst nur aufpassen das ich im Schlaf nicht über dich herfalle“, grinste er nur mit einem ironischen Tonfall.

„Warst du noch nie mit einer Frau zusammen?“, bohrte Lucas weiter nach.

Offenbar hatte er die richtige Frage gestellt, denn Birger wandte sich rasch um und schwieg.

„Soll ich dir ein paar Ratschläge geben?“, bemühte sich Lucas, ihm weiterhin eine Antwort zu entlocken, während es sich der Krieger auf dem Bett gemütlich machte.

Schweigend lag er da, bis Natascha mit dem Eimer Holzscheite wieder in das Haus kam. Lucas half ihr erneut das Feuer zu entzünden und mit den kargen Wurzeln, Knollen und Erdäpfeln zauberte er einen deftigen Eintopf. Den ganzen nächsten Praioslauf erholten sich die beiden Abenteurer bei Natascha, deren Haus abseits eines Waldes lag. In der hohen Schneelandschaft war das kleine Häuschen nur mit einem geübten Auge zu erkennen. Bevor sie abreisten, wies jene ihnen den Weg zum nächsten Dorf, da beide Männer im Schneesturm vollkommen die Orientierung verloren hatten. Birger war sichtlich erleichtert, dass sie nun endlich das Haus verlassen konnten und ihren Weg fortsetzten.

„Jetzt erzähl´ mal", forderte ihn Lucas, als sie ein gutes Stück des Pfades zurückgelegt hatten.

Fragend schaute ihn der Krieger an.

„Was soll ich erzählen?"

„Na warst du schon mal mit einer Frau zusammen?"

Ein breites Grinsen schmückte Lucas´ Gesicht. Birger rollte mit den Augen. Jetzt fing das schon wieder an. Den Blick starr nach Vorn gerichtet versuchte er, seinen Gefährten zu ignorieren, doch er wusste, dass dieser keine Ruhe geben würde.

„Nein, zufrieden?“, antwortete der Krieger knapp. Lucas war verwundert.

Birger schien nicht wie jemand zu sein, der Schwierigkeiten mit den Damen hätte. Außerdem wirkte er oft älter und somit erfahrener als der junge Ritter.

„Warum?“, fragte Lucas schließlich.

Er war neugierig geworden und auf diese Weise würde die Zeit schneller vergehen.

„Meine Ausbildung war wichtiger und auf der Drachenfeste gab es keine menschlichen Personen in meinem Alter“, beteuerte der Krieger, und sein Ton wirkte weniger angespannt.

„Und was ist mit Sophia? Du kennst sie doch schon lange.“

Diese Frage brannte dem jungen Söldner seit Ewigkeiten auf der Zunge, doch gab es bisher keine Gelegenheit, sich bei ihm danach zu erkundigen. Das Schweigen, das nun folgte, dauerte lange und Lucas befürchtete, zu weit gegangen zu sein. Langsam fiel wieder weißer Schnee vom Himmel, der in den Wogen des Windes umher tanzte.

„Ja ich kenne sie schon lange", versicherte Birger nach einigen Momenten.

„Ist sie nicht die Gemahlin, die Angrosch für mich bestimmt hat. Als Krieger muss ich mir bewusst sein, dass ich jeder Zeit im Kampf fallen könnte und deswegen kann ich mir den Luxus einer festen Bindung nicht leisten."

Wahre Worte eines Kriegers. Lucas dachte einige Zeit darüber nach. Über seinen Übergang in Borons Reich hatte er sich noch nie Gedanken gemacht.

„Dadurch entgehen dir aber auch manche Sachen", erwiderte Lucas nach kurzer Zeit.

„Mein Meister Petros sagte einmal, dass das Gefühl, wenn man seinen ersten Sohn in Händen hält, schöner sein kann, als eine ruhmreiche Schlacht."

Birger blickte Lucas an und sah, mit welcher Leidenschaft und Überzeugung er jene Worte sprach. In diesem Punkt unterschieden sich die beiden Kämpfer sehr voneinander. Während Birger durch seine Ausbildung und die abgeschiedene Lebensweise bei den Zwergen nicht viel Spielraum für Gefühle übrig ließ, war Lucas eine Person, die offenherzig redete.

„Vielleicht findest du ja bald jemanden, der für dich bestimmt ist", gsb er sich hoffnungsvoll und klopfte den Krieger auf die Schultern.

Es war abends, als sie das Dorf erreichten und die Praiosscheibe, war bereits lange am Horizont verschwunden. Das Dorf bestand aus ungefähr 20 kleinen Holzhütten, deren Eingänge säuberlich vom Eis befreit wurden. Kinder tollten herum und bauten winzige Männer aus Schnee. Die Einwohner schenkten den Neuankömmlingen wenig Beachtung, offenbar war man wanderndes Volk gewöhnt. Die Taverne war leicht heruntergekommen und würde nicht viel Platz bieten, jedoch gaben sich die beiden

Männer schon mit einem einfachen Schlafplatz im Trockenen zufrieden. Das innere des Gasthauses war spärlich erhellt und auch die Möbel hatten ihre besten Tage hinter sich. Der Wirt zischte nur ein leises „Zum Gruße“, als sie die Schenke betraten. Neben dem Wirt befanden sich noch vier weitere Personen darin, die am einzigen Tisch Platz genommen hatten. Zwei Soldaten mit großen Schwertern und robusten Rüstungen musterten sie. Lucas schätzte sie um die 40 Götterläufe und das Gesicht des einen war von tiefen Narben gekennzeichnet. Beide hatten ihre Haare mit einem Tuch abgedeckt, das am Kopfende mit einem Knoten verschnürt worden war. Begleitet wurden sie von einer hoch gewachsenen Dame, dessen langes schwarzes Haar gut gebürstet war. Die silbernen Ohrringe funkelten im flackernden Licht des Feuers. Der vierte Mann war ein Hüne, der im Sitzen so groß war, das er Lucas bis zu den Augen reichte. Er war leicht bekleidet und unter der engen Kleidung waren die Konturen seines muskelbepackten Oberkörpers deutlich zu erkennen. Er blickte finster drein und die zotteligen Haare standen wie die Stacheln eines Morgensterns in alle Richtungen ab.

„Was wollt ihr“, murrte der Wirt.

Er war von schmaler Statur und sein Gesicht wirkte eingefallen und der Blick ausdruckslos. Seine Kleidung war schmutzig und an einigen Stellen zerrissen.

„Wir benötigen eine Unterkunft für die Nacht“, gab Birger an und legte ein paar Münzen auf die Theke.

Gierig griff der Wirt danach und zählte sie mit Hilfe seiner Finger.

„Sucht euch einen Platz aus, Betten habe ich nicht.“

Nun es war nicht das, was sie erwartet hatten, doch war es besser als im Schnee zu Schlafen. Nicht gerade zufrieden setzten sie sich an die Theke, vor allem, da dies der einzige freie Platz war. Das Essen was der Mann nach mehrmaligem Nachfragen auftischte, schien nahezu ungenießbar und auch das Bier schmeckte wässrig. Lucas beobachtete die Gesellschaft ein wenig, die sich auf einer ihm unbekannten Sprache unterhielt. Offenbar stritten sie, denn der Tonfall der Dame wurde zunehmend schärfer. Plötzlich fuhr die Faust des Hünen auf die Tischplatte. Ein dumpfer Schlag hallte durch die Taverne und die Erschütterungen des Bodens waren bis zur Theke zu spüren. Erschrocken standen die Soldaten auf und verbeugen sich tief. Darauf verließen sie murrend die Schenke, die Tür knallten sie laut hinter sich zu. Als sich die Blicke von Lucas und der fremden Dame trafen, blinzelte sie ihm zu. Der junge Mann stand auf, rückte seinen Gürtel zurecht und ging auf den Tisch zu.

„Zwölf zum Gruße, junge Dame. Dürft ich so frei sein und mich zu euch setzten?“, fragte er mit einem ehrlichen Lächeln.

Die Dame erwiderte es.

„Gewiss, junger Krieger und dein Begleiter ist ebenfalls herzlich eingeladen“, lud sie ein und nippte aus dem Krug, der vor ihr stand.

Als Lucas sich setzen wollte, fauchte der Hüne etwas, das der Söldner überhaupt nicht verstand.

„Entschuldigt?“, unterbrach Lucas unbewusst und musterte sein Gegenüber.

„Ärmlicher Mann. Braucht glänzende Rüstung. Echter Mann kämpfen ohne“, entgegnete ihm der Hüne mit einer rauen tiefen Stimme, die wirklich furchtbar klang und schlug sich mit den Fäusten auf die harte Brust.

Die Dame legte sanft die Hand auf die Schulter des Riesen.

„Aber Daniel, jetzt verschreck unseren Gast nicht“, beruhigte sie ihn mit besänftigender Stimme.

Darauf hielt die ihre Hand zum Jungen und meinte:

„Ich bin die Magierin Traudl.“

Der Ritter ergriff die Hand und küsste die weiche Haut ihrer Knöchel.

„Ich bin Lucas.“

Traudl war geschmeichelt und wies nun auf den Hünen.

„Das ist mein Begleiter Daniel Zut Zundar.“

Daniel stieß die Luft aus dessen Nase und sein Gesicht wirkte so zornig wie vorhin.

„Seine Hand küsse ich aber nicht“, kicherte Lucas und Traudl erwiderte das Lachen.

„Und wer ist euer Begleiter?“, blickte sie Birger an, der sich der Gruppe genähert hatte.

„Birger, Sohn des Drogom“, bestätigte der Krieger, bevor Lucas irgendetwas sagen konnte und seine Stimme wirkte ungewohnt freundlich.

Kurz darauf setzte er sich neben dem Jungen hin und musterte die beiden Personen.

„Woher stammt ihr?“, erkundigte sich Traudl und bestellte für die neuen Gäste noch ein erfrischendes Getränk.

Lucas erzählte ihr von Salzburg, dem Ziel ihrer Reise und von den Menschen, die er, während der Zeit getroffen hatte. Gespannt lauschte die Magierin, als ihr Begleiter einen Krug Bier nach dem anderen leerte. Dabei waren seine Hände so groß, dass die Gefäße in dessen Pranken aussahen wie Teetassen.

„Da hab ihr ja einiges erlebt“, stellte Traudl fest und strich dem Söldner über sein Knie.

„So zwei rechtschaffende Recken wie ihr sind selten zu finden.“

Die beiden fühlten sich geschmeichelt durch solch lobende Worte.

„Wir sind in geheimer Mission unterwegs, um einen Paktierer von Thargunitoth ins Handwerk zu pfuschen“, fügte sie hinzu und strich sich durch ihre Haare.

„Inwiefern wollt ihr ihm ins Handwerk pfuschen“, fragte Birger, das Wort Thargunitoth hatte ihn hellhörig werden lassen.

„Nun morgen früh soll hier eine Kutsche durchfahren, die ein seltenes Buch beinhaltet“, weihte sie die Gäste leise ein.

„Dieses Buch benötigt der Paktierer um einen schrecklichen Dämon zu beschwören. Wir wurden entsandt um das Buch in unseren Besitz zu bringen.“

„Nobel von euch, einer solchen Tat zuzustimmen“, wunderte sich Lucas nickend und Birger stimmte ihm zu.

„Ja, aber leider wird die Kutsche mit der sie transportiert wird, schwer bewacht, wodurch diese Aufgabe unmöglich für mich und meinen Gefährten wird.“

Traudl wirkte mutlos.

Die beiden Recken schienen bestürzt zu sein und konnten doch nicht zulassen, dass dieses Buch seinen Bestimmungsort erreicht. Ihre Aufgabe war die Zerschlagung aller namenlosen Machenschaften, von daher sahen sie es als ihre Pflicht an der Dame zu helfen. Lucas blickte zu Birger, der ihm nur als Zeichen zunickte.

„Wir werden euch bei eurer Aufgabe beistehen“, versprach der junge Krieger und die Augen der Magierin füllten sich vor Freude.

„Habt dank, ihr tapferen Recken“, lächelte sie und gemeinsam planten sie sodann den Überfall auf die Kutsche und die Befreiung der Dokumente.

Kapitel 7

Ein Hinterhalt

Wie am Abend versprochen trafen sich die Helden etwas außerhalb des Dorfes, um die letzten Vorbereitungen zu treffen. Daniel blickte die beiden nach wie vor grimmig an und auch sein Tonfall, hatte sich seit der letzten Nach nicht verändert. Lucas lief es immer bei diesem Mann kalt über den Rücken. Auch jetzt, wo Daniel an den nahegelegenen Bäumen die Schneide seiner riesigen Axt prüfte, versuchte der junge Söldner, die Gesellschaft zu meiden, vor allem weil er fürchtete, der Barbar hätte keine Gräuel davor ihn für das wenige Geld, das er besaß, niederzustrecken. Um bei der Wahrheit zu bleiben, waren Lucas´ Sorgen nicht unbegründet, doch Daniel gehorchte auf jedes Wort, das ihm die Magierin auftrug, zwar mit einem gewissen Maß an Widerwillen, aber dennoch erledigte er jede kleinste Aufgabe.

Birger und Lucas verhüllten ihr Antlitz, damit die Verteidiger sie nicht später hätten identifizieren können. Das Gesicht tief in die Kapuze ihrer Mäntel gehüllt, war es unmöglich, ihre Gesichtszüge eindeutig zu identifizieren. Hinter ein paar Bäumen und Büschen suchten sie Deckung, so gut sie eben konnten. In der weißen Landschaft wären ihre dunklen Mäntel leicht zu erkennen gewesen, dann hieß es warten. Lange hockten sie in ihrem Versteck und warteten auf das Geräusch einer sich nähernden Kutsche. Es wurde zunehmend kälter und Lucas konnte kaum noch die Zehen spüren. Birger erging es ähnlich, doch ließ er sich nichts davon anmerken. Der Barbar hingegen wanderte mit seinem entblößten Oberkörper auf und ab und schlug jedes Mal mit der bloßen Faust gegen einen der Bäume.

„Kannst du bitte damit aufhören!“, fauchte ihn die Magierin schließlich an.

Bedrohlich baute der Barbar sich vor ihr auf. Dann sagte er etwas mit auf einer rauen, kehligen Sprache und hob drohend die Faust.

Traudl lächelte ihn nur an und legte die Hand auf seine Brust. Sie erwiderte etwas, jedoch hörte sich die Sprache durch ihren Mund nicht ganz so barbarisch an. Die Augen des Hünen füllten sich mit Angst und vereinzelte

Schweißperlen bildeten sich auf seiner Stirn. Eine Verfluchung ausstoßend entfernte er sich von der Magierin und rammte seine Axt tief in den nächsten Baum.

Irgendwann drang das Wirren von Pferden an ihr Ohr und langsam aber sicher näherte sich eine Kutsche, die von zwei bewaffneten Männern auf Rössern begleitet wurde. Jene waren fein gekleidet und trugen einen Waffenrock mit dem Symbol von Großgmain. Das Gefährt bestand aus Holz, dessen Verbindungen mit schwerem Eisen beschlagen waren. An der Seite befanden sich Öffnungen, aus denen man hinausschauen, oder schießen konnte. Im Ganzen wirkte es nicht gerade wie eine einfache Aufgabe für vier Abenteurer.

Birger wandte sich an Lucas.

„Wir müssen behutsam vorgehen. Zunächst sollten wir...“

Er kam nicht dazu, den Satz zu beenden, ein kräftiger Stoß von hinten und er purzelte aus dem Gebüsch, mit dem Gesicht voran in den hohen Schnee, der ihn mit eisigen Armen empfing. Daniel war nach vorne gestürmt, gab keine Rücksicht auf Verluste und hatte fast den Krieger über den Haufen gerannt. Auch Lucas wurde durch die massige Wucht seines Körpers zurückgestoßen und stieß mit dem Kopf gegen einen Baum. Brüllend rannte der Barbar, die Axt schwingend, auf die Kutsche zu.

„Überfall!", schrieen die berittenen Soldaten und zogen ihre Schwerter unter den Mänteln hervor.

Während sie sich kampfbereit machten, trafen jene Kämpfer, die im inneren der Kutsche warteten, Vorbereitungen für die Schlacht. Lucas eilte zum Gefährten und half ihm, so gut er konnte auf die Beine. Beide sahen, wie der Barbar wild mit seiner Axt um sich schlug und Ross und Reiter nieder warf. Indessen war die Magierin verschwunden, wie sie feststellen mussten. Mürrisch zog Birger sein Schwert, während er auf Rogolan fluchte:

„Tolle Gefährten."

Behutsam näherten sie sich dem Barbaren, der bereits einen Krieger niedergestreckt hatte. Der andere Reiter lag auf dem Boden und versuchte davon zu kriechen, doch Daniel bemerkte es und begann mit seinen kräftigen Beinen auf ihn einzutreten. Die dumpfen Schläge halten durch den Wald, gefolgt von den Schmerzensschreien des Soldaten.

„Das reicht!“, schrie Lucas, als der Soldat keinen Laut mehr von sich gab und der Barbar null Anstalten machte aufzuhören.

Daniel riss herum und blicke den jungen Söldner hasserfüllt an. „Dein Gegner wehrt sich nicht mehr. Er hat genug“, bekräftigte er und ging weiter auf Daniel zu.

„Du nix befehlen Daniel!“, grunzte ihn der Barbar an, dann wandte er sich zur Kutsche und ging bedrohlich auf sie zu.

Lucas schüttelte nur fassungslos den Kopf. Birger versuchte unterdessen den Puls der Soldaten zu fühle, doch ein Blick reichte aus um ausschließen zu können, dass beide noch lebten. Aufgeregte Stimmen drangen aus der Kutsche, das Klirren von Metall und das Stampfen der schweren Stiefel auf dem Holz. Mit Wucht hämmerte der Barbar gegen das Gefährt, die bedrohlich hin und her schwang.

„Was für ein Primat“, drehte sich Lucas nur zu Birger, der ungläubig zustimmte.

Plötzlich erschienen die Spitzen von Armbrüsten an den Lucken der Kutsche. Blitzschnell warf Birger sich zu Boden und es gelang ihm knapp, den Bolzen auszuweichen. Lucas war kurz abgelenkt und spürte nur einen Aufprall an seiner Brust. Verwundert blickte er zu der Stelle, in der ein Bolzen zitternd stecken blieb. Er sank auf die Knie.

„Verdammt“, fluchte er und fiel mit der Schulter voran neben Birger in den Schnee.

Mit zitternden Händen hielt er sich die verwundete Stelle. Der Kumpane reagierte sofort und zog in schnell in die spärliche Deckung, darauf betrachtete er den Bolzen. Lucas´ Augen füllten sich mit Panik.

„Hilf mir“, flehte er Birger an.

Er spürte noch wie der Krieger das Teil mit einem Ruck entfernte. Der Söldner merkte, wie es immer kälter um ihn herum wurde. Ein Bolzen hatte Daniel an der Schulter verwundet und das Blut lief langsam seinen Oberkörper hinab, das nun tiefe Spuren im Schnee abzeichnete. Ein brüllender Schrei, wie von einem wild gewordenen Tier übertönte alles. In Rage griff er unter das Holz der Kutsche. Mit all seiner Kraft hob er sie an. Wie eine leere Kiste warf er die mächtige Karre in den Schnee. Die drei Soldaten im Inneren konnten sich nicht mehr auf den Beinen halten und wurden wie von einem Rammbock getroffen an die Holzwand. Wie ein wilder Stier schlug der Barbar mit dessen schweren Axt gegen den Boden. Das Holz gab unter der Wucht seiner Schläge nach und noch bevor die Männer im Inneren wussten, wie ihnen geschah, spähte der Barbar grinsend durch das Loch.

Die Ohrfeige traf Lucas ins Gesicht und schlagartig öffnete er die Augen.

„Reiß´ dich zusammen, du blutest noch nichtmal!“, fuhr ihn Birger an, der ihm den Bolzen vor die Nase hielt, und tatsächlich war daran kein Blut zu erkennen.

„Oh“, murmelte Lucas nur und sein Gesicht wurde leicht rot.

Es wäre das erste Mal gewesen, dass er ernsthaft verletzt wurde, und es war ihm peinlich, so überreagiert zu haben. Im geistigen Auge hatte er schon sein kurzes Leben an ihm vorbei ziehen sehen.

„Langsam frag ich mich wofür wir eigentlich hier sind“, grübelte Birger und erhob sich mühselig.

Lucas sah, wie Daniel einen Soldaten nach dem anderen aus der Kutsche zog und mit einem Hieb, außer Gefecht setzte.

„Ihr habt noch eine ganz wichtige Aufgabe, junge Krieger“, ertönte eine weibliche Stimme neben ihnen und wie aus dem Nichts erschien Traudl.

Lucas, der noch immer im Schnee lag und jetzt zu ihr hochblickte, wobei er versuchte, unter den knielangen Rock der Magierin zu lugen.

„Daniel, Hübscher, das Buch nicht vergessen“, rief sie ihrem Begleiter zu.

Birger ergriff Lucas und zog ihn hoch, aus dem kalten Schnee. Der Barbar kam ihnen schnaufend entgegen, unter der rechten Schulter trug er eine schwere Truhe und auf der Linken trug er zwei bewusstlose Soldaten aus der Kutsche.

„Äh, was habt ihr mit denen vor?“, kratzte sich der junge Ritter am Kopf.

„Andenken“, schnaubte Daniel nur und ging an den beiden vorbei.

Birger wollte etwas erwidern, doch er wurde an der Flanke aufgehalten.

Traudl hatte die zwei Männer an der Schulter gepackt und lächelte sie freundlich an.

„So, ihr beide geht jetzt nach Großgmain, dort übernachtet ihr und vergesst erst mal das ganze hier.“

Lucas wollte etwas sagen, doch irgendwie gelang es ihm nicht.

„Und wenn ihr erwacht, geht ihr zum Marktplatz, dort wartet ihr auf mich.“

Daraufhin blickte sie den beiden in die Augen und fragte.

„Könnt ihr das?“

Sie nickten nur stumm. Die Magierin löste den Griff und wie in Trance drehten sich die Krieger um und machten sich auf den Weg. Lucas sah, wie Daniel einen der Soldaten an einen Baum anlehnte, dann holte er mit der Streitaxt aus.

Der dumpfe Schlag auf dem Holz hallte durch den kleinen Raum und schlagartig wurde Lucas wach. Das Gesicht lag auf dem Boden und mit der Zeit, die er da reglos lag, wurde er zunehmend munterer und sein Rücken schmerzte unheimlich. Mit den Rechten betastete er jenen ab und bemerkte eine schmerzende Stelle oberhalb seines Beckens. Die Glieder brannten, als er sich erhob.

Das Zimmer wurde durch den schwachen Praiosschein erhellt, der durch den Holzverschlag des Fensters einfiel, und war verhältnismäßig mickrig. Lucas betrachtete die kleine Kommode zu seiner Rechten, deren Holz alt und abgenutzt aussah. Er öffnete die Verkleidung der Luke, wobei die schmiedeeisernen Scharniere laut quietschten. Auf der Straße herrschte reges Treiben. Menschen, in dicken Mänteln eingehüllt, füllten die schneebedeckte Gasse, und das Gemurmel hallte von den Wänden der umliegenden Gebäude wider.

Der junge Söldner versuchte, sich an die gestrige Reise zu erinnern, schaffte es jedoch nur Bruchstücke zusammenzufassen. Der Abend in der Schenke, die Unterhaltung mit einer schönen Dame und dann die Ankunft in Großgmain, doch er konnte weder das Gespräch mit der Dame, noch genau Einzelheiten ihrer Wanderschaft eindeutig benennen.

Das Einzige, was er wusste war, dass sie heute in Großgmain am Marktplatz auf jemanden warten sollten. Sie träfen offensichtlich einen wichtigen Herrn, doch er hatte vergessen wen. Das Rascheln der Decke zog seine Aufmerksamkeit auf sich. Birger schaute verschlafen aus dem Bett, in dem eigentlich nur Platz für eine Person war, hoch und blickte sich fragend um. Dann sah er mit großen Augen auf Lucas, der nur mit einer Hose bekleidet war. Er selbst war ebenfalls halb nackt und schlagartig, kam beiden die gleiche Befürchtung.

„Egal was gestern Nacht passiert ist, wir sprechen nie ein Wort darüber", beteuerte Birger und Lucas nickte schnell, denn um ehrlich zu sein, wollte er auch nicht wissen, was geschehen ist und totschweigen schien die beste Möglichkeit zu sein.

„Weißt du, wen wir nochmals am Marktplatz treffen sollen?", fragte Lucas, als er gerade die Riemen seines Brustpanzers schloss.

Birger runzelte die Stirn.

„Ich meine irgendjemanden vom Rat aber genau fällt es mir nicht mehr ein", gab er schließlich zu und band sich die Schuhe.

„Auf jedenfall ist das Treffen wichtig, also beeile dich."

Lucas kam diese Verabredung merkwürdig vor, zumal sich niemand an den Namen der Person erinnern konnte. Ihm überkam ein ungutes Gefühl, jedoch vermochte er es nicht einzuordnen. Gedankenverloren stapfte er hinter Birger her, der Zielsicher durch die Menschenmenge ging. Keiner der beiden Krieger bemerkte den Schatten, der sich dicht an ihre

Fersen heftete und das drohende Unheil rückte immer näher. Die riesige Halle war gut 40 Schritt lang, 20 breit und die Säulen, die sich in regelmäßigen Abständen empor reckten, reichten bis zur Decke, die im Schatten verborgen war. Das Licht der Glutbecken erhellte nur Teile des Raumes und sorgte für eine angenehme Wärme. Die Halle stammte aus längst vergessenen Tagen, eine Zeit in der die Menschen noch den namenlosen Gott verehrten, bevor er durch die Zwölf vertrieben wurde. Aus dieser Zeit stammt auch die große Statue des Gottes, welche die hintere Wand des Raumes ausfüllte.

Zu den Füßen derer saß die Magierin auf einem hohen Thron, der aus ausgebleichten Knochen errichtet worden war. An der Spitze dessen war ein Schädel eingelassen, der von knöchernen Händen umrahmt wurde. Die hellblauen Augen, noch in den Augenhöhlen eingemeißelt, ruhten auf Daniel, der nur ein wenig abseits auf dem Boden saß. Traudl war gerade in ihrem Buch, das sie aus der Kutsche erbeutet hatten vertieft. Der Gefährte hingegen vertrieb sich die Zeit damit, die „Andenken" an die Soldaten aus dem Wald von der nutzlosen

Haut zu entfernen, sodass der weiße Knochen frei gelegt wurde. Die fertigen Schädel legte er auf den kleinen Haufen zu seiner Rechten.

„Muss er das unbedingt hier machen?“, ertönte die helle, knöcherne Stimme des Totenschädels.

„Ich finde das ein wenig diskriminierend.“

Daniel grunzte nur unbeeindruckt und fuhr mit seiner Arbeit fort.

„Lass ihn, Norbert, jeder braucht eine Beschäftigung“, stichelte Traudl, ohne aus ihrem Buch aufzuschauen.

Das Buch sollte ihr bei ihrem weiteren Vorhaben nutzen, jedoch konnte sie bisher darin nichts finden, was sie nicht bereits wusste. Langsam wurde sie sauer und zunehmend ungeduldiger.

„Norbert, hast du nicht gesagt, dass mir das Buch helfen kann?“, fragte sie schließlich genervt.

„Aber gewiss“, antwortete der Schädel wahrheitsgemäß.

„Wenn ihr gestattet.“

Die knöcherne Hand, die als Armlehne diente, löste sich und legte sich um den Buchrücken. Traudl ließ Norbert gewähren, der ihr das Buch abnahm, die Zweite ebenfalls, und er fing an wild im Buch herumzublättern.

„Wo war das nochmal?“, murmelte der Schädel vor sich hin, während er mit den Augen den Inhalt überflog.

Da er das Buch vor guten 350 Jahren das letzte Mal gelesen hatte, fiel es ihm schwer, auf Anhieb die passende Stelle zu finden, doch auch dieses Mal ließ ihn sein Gedächtnis nicht im Stich.

„So“, fing er an.

„Durch die Verschmelzung beider Seelen, kann der Zauberer erreichen, die Kontrolle über sein Opfer permanent aufrecht zu erhalten. Das geistig schwächere Wesen wird dabei vollständig verdrängt und ermöglicht somit sogar eine

Übertragung der Seele und des Geistes. Die dafür benötigten Zauber..."

Traudl entriss Norbert das Buch und fing an darin zu lesen.

„Gern geschehen", grummelte dieser nur.

Mit dem Finger ging Traudl Zeile für Zeile des Werkes nach und mit jedem Absatz wurde ihr Lächeln breiter. Die schwere eiserne Tür fiel ins Schloss und mit raschelnden Schritten näherte sich ein Soldat. Er war gerüstet und trug unter dem Brustpanzer einen purpurnen Waffenrock mit Gold verzierten Rändern. Seine Haare waren glatt nach hinten gekämmt und sein Gesicht bleich, wie Kalkstein. Vor dem Thron warf er sich auf die Knie.

„Meisterin, verzeiht die Störung, aber die 13 Geweihten sind soeben eingetroffen."

Traudls Blick ruhte lange auf dem Mann, der vor ihr im Staub kniete. Sie genoss diese Ergebenheit.

„Gut, schick sie rein", ordnete sie mit gespielt gelangweilter Stimme an.

Der Mann erhob sich wieder und entfernte sich.

„Oh, wir kriegen besuch?“, sagte Norbert freudig, doch Traudl ignorierte ihn.

Durch die Tür schritten nun 13 vermummte Gestalten, die alle Roben aus Purpur mit goldenen Rändern trugen. Ihre Köpfe vergruben sie tief in den Kapuzen, sodass man sie nicht erkennen konnte. Sie bauten sich vor dem Thron in einer Reihe auf.

„Verbeugt euch“, forderte Traudl sie auf.

Der Geweihte in der Mitte entblößte sein Gesicht. Es war durchzogen von Narben und eitrigen Pusteln. Er war so widerwärtig, dass Daniel den Blick abwandte.

„Und warum sollten wir das tun, edle Dame?“, nörgelte er spöttisch.

Traudl seufzte und erwiderte mit einem Lächeln.

„Weil ich es euch befehle, Made.“

Wutentbrannt stapfte er auf den steinernen Boden. Ein Beben erfasste die Halle und Staub regnete von oben herab und seine zwölf Begleiter stimmten einen Kanon an. Daniel wurde von der Angst erfasst, er hasste Dinge, die er nicht erklären konnte und das Beben war ihm ganz und gar nicht geheuer.

„Ihr wagt es?“, schrie der Geweihte und seine Stimme hat nichts Menschliches mehr.

„Wir dienen nur einem Herrn und er wird euch jetzt zerquetschen!“

Das Beben verstärkte sich und Daniel hatte Mühe sich auf den Beinen zu halten. Traudl saß hingegen unbeeindruckt im Thron und schaute gelangweilt drein.

„Für den Güldenen!“, riefen die dreizehn Geweihte und deuteten auf Traudl.

Das Beben verstummte, jene blickte sich erwartungsvoll um und auch Norbert musterte den Raum.

„Und weiter?“, drängte Traudl mit einem hämischen Lächeln den Geweihten, der nur verdattert da stand.

Die Faust von Daniel traf ihn mitten in den Bauch. Er hatte die allgemeine Verwirrung genutzt, und war hasserfüllt zum Geweihten gestürmt. Dieser flog in einem hohen Bogen 10 Schritt weit nach hinten. Er knallte hart auf dem Boden auf und blieb reglos liegen. Daniel spuckte und fluchte etwas auf seiner Muttersprache. Die anderen Geweihten erschauderten vor dessen Brutalität und Kraft.

„Wie unhöflich“, bemerkte Norbert und blickte dabei tadelnd zu dem Barbaren, der sich wieder seinen Schädeln widmete.

„Nun gut, so viel dazu“, sprach die Magierin und stand langsam aus dem knöchernen Thron auf.

„Ich bin Traudl und ich nicht hier um in Frage gestellt zu werden.“

Sie blickte in die Reihe der Geweihten, die ihr misstrauische Blicke zuwarfen.

„Der Güldene ist mein Gott, sowie seine dreizehn Diener, und er hat mich erwählt um sein Kommen vorzubereiten.“

Mit der linken Hand deutete sie auf den niedergeschlagenen Mann.

„Kniet, oder das ist euer Schicksal.“

Die Geweihten wanden sich einander zu und tuschelten über das gerade Gesehene. Dann fielen sie einer nach dem anderen auf die Knie.

„Wunderbar“, schwärmte die Magierin und fing an herzlicht zu lachen.

Langsam aber sicher näherten sich die beiden Krieger dem Marktplatz, der merkwürdigerweise von zahlreichen Gardisten bewacht wurde. Auf dem Weg hatte Lucas schon das Getuschel der Passanten mitbekommen. Offensichtlich wurde nicht weit von der Stadt entfernt, eine wichtige Kutsche aus Großgmain überfallen und mehrere Wachen getötet. Diese musterten die beiden Krieger schon von weitem und langsam aber sicher umkreisten sie die Männer um sie an einer möglichen Flucht zu hindern.

„Halt, in Namen der Bürger zu Großgmain“, quatschte sie ein in die Jahre gekommener Gardist an.

Sein Gesicht wirkte stark und entschlossen und trotz dessen beträchtlichen Alters strotzten seine Augen vor Kampfgeist, wie Lucas es noch nie zuvor gesehen hatte.

„Nennt mir euren Namen und euer Begehr.“

Birger musterte die Soldaten, die sie umstellten. Ein Blick genügte, um zu erkennen, dass sie Erfahrungen im Kampf besaßen und keine einfachen Wachsoldaten waren. Alle hatten die Hände auf den Knäufen ihrer Schwerter, um schnellstmöglich kampfbereit sein zu können.

„Meine Name ist Lucas Fidian, wir sind hier um jemanden auf dem Marktplatz zu treffen“, antwortete der junge Söldner wahrheitsgemäß.

Die Soldaten verstärkten ihren Griff um die Schwerter.

„Und dein Freund?“, fragte der ältere Wachmann.

Er sah, wie Birger ebenfalls zur Waffe griff. Noch bevor Lucas etwas sagen konnte rief der Soldat einen Befehl und blitzschnell zogen die fünf Wachmänner, welche die Männer umkreist hatten, ihre Waffen.

„Wer seid ihr wirklich und was wollte ihr hier?“, schrie einer der Wachsoldaten.

Lucas verstand nicht, warum sie festgehalten wurden.

„Wir haben nichts verbrochen, wir wollen nur zum Marktplatz“, versuchte er, sich zu verteidigen.

Die Menschenmenge musterte das Geschehen und erregtes Getuschel ging um.

„Da lässt man euch beide einmal ein paar Momente alleine und dann so was!“, erklang eine liebliche Stimme hinter ihnen.

Verwirrt blickten sich die Männer um. Ein dunkler Mantel flatterte im Wind, der sich zwischen den Wachen durchzwängte. Die Person warf sich Birger um den Hals.

„Spiel mit“, flüsterte sie und wand sich an Lucas, der nun völlig verwirrt da stand.

„Bestimmt wieder deine Schuld, Lucas, oder?“

Natascha blickte ihn kopfschüttelnd an.

„Du kennst die beiden Burschen?“, fragte sie der ältere Wachmann, der langsam sein Schwert senkte.

„Gewiss, Oberst“, lächelte sie und hackte sich unter Birgers Arm ein.

„Er ist mein Geliebter, Birger aus Salzburg.“

Das Gesicht des jungen Kriegers wurde schlagartig rot, während Lucas es nun völlig aufgab der Handlung weiter zu folgen. Für ihn war all das viel zu verwirrend.

„Steckt die Waffen weg“, befahl der Oberst und die Männer gehorchten sofort.

Er trat auf die Drei zu, während seine Untergebenen wieder ihre Wachposten bezogen.

„Verzeih´, Natascha, das konnte ich ja nicht wissen.“

„Worum geht es überhaupt“, fragte die junge Dame ihn mit neugieriger Miene.

Der Oberst berichtete ihr von dem Überfall auf die Kutsche, und die fünf Soldaten, die dabei getötet wurden.

„Wir haben heute Morgen einen Hinweis von einer jungen Dame erhalten, die sagte, zwei der Angreifer treffen sich heute hier mit einem Informanten. Deswegen überprüfen wir alle uns unbekannten Söldner, Krieger und bewaffnete Männer“, erzählte er weiter.

„Eigentlich müsstet ihr auf dem Weg daran vorbeigekommen sein.“

„Nein, du weißt doch ich geh immer den langen Weg, die Dorfbewohner mögen mich nicht sehr“, antwortete sie rasch.

Der Oberst legte ihr behutsam die Hand auf die Schulter.

„Mir missfällt es immer noch, das du ganz alleine im Wald wohnst“, bedauerte er und Birger bemerkte das Mitleid, das in seinen Augen lag.

„Ich bin nicht alleine“, entgegnete Natascha und umarmte ihren „Geliebten“ so fest sie konnte.

Birger war sichtbar unzufrieden mit der derzeitigen Situation. Nicht nur, das er nur knapp einer Auseinandersetzung mit den Wachen entgangen war, sondern offensichtlich hatte diese Frau sie erneut gerettet.

Der Oberst musterte nun Birger und dann Lucas.

„Nun gut, verzeiht bitte die Unannehmlichkeiten“, verbeugte er sich leicht.

„Ihr habt nur eure Pflicht getan“, bestätigte Birger mitgespielt lässigen Tonfall.

Der Oberst verabschiedete sich und wandte sich wieder den Untergebenen zu.

„Du kannst mich jetzt los lassen“, forderte Birger Natascha auf, die wie eine Klette an seinem Arm hing, doch sie ignorierte ihn und zog ihn am Arm neben sich her.

Lucas stapfte unterdessen hinter dem Pärchen her und begutachtete die Stände, die aufgrund des Winters nur wenig anzubieten hatten. Er fragte sich, was der Überfall auf diese Kutsche mit ihnen zu tun hatte und am meisten wunderte er sich, warum Natascha bei jenen war, doch auf die Frage, was vorgefallen sei, vertröstete sie die beiden Männer auf später.

Sie hatten gerade das Nordtor der Stadt verlassen, als Birger sich von ihrem Arm löste. Murrend nahm die Frau es hin und hüllte sich tiefer in ihren dunklen Umhang. Der kalte Wind blies ihnen erbarmungslos ins Gesicht. Lucas betrachtete Birger, der eisern dem Wind trotzte.

„Vielleicht hätten wir in der Stadt bleiben sollen“, meinte er irgendwann, als der Sturm zunahm.

Sie waren ein gutes Stück weit gegangen und die umher fliegenden Schneeflocken nahmen ihnen die Sicht. Natascha erhöhte ihr Tempo und übernahm die Führung der Gruppe. Wortlos fügten sich die beiden Krieger, und erkannten irgendwann die Umrisse einer kleinen Hütte, die sich langsam vom weißen Hintergrund abhob. Sie war nicht besonders groß und die vernagelten Fenster ließen keinen Blick ins Innere gewähren. Auf der Veranda lag ein kaputter Holzstuhl, der zum großen Teil mit Schnee bedeckt war. Als sie die Tür erreichte, zog sie aus den Tiefen ihre Tasche einen kleinen Schlüssel hervor. Knarrend öffnete sich die Tür und die drei flüchteten vor dem Sturm ins Innere. Der Raum lag größtenteils im Dunkeln und die teilweise heruntergekommenen Möbel waren in dicken Staubschichten eingehüllt. Es gab nicht viel mehr, als ein paar leere Regale, ein paar Fässer und zwei Betten, die mit einfachem Stroh ausgestattet waren. Auf dem Querbalken des Daches saß eine weiße Eule, welche die Neuankömmlinge musterte. Offensichtlich, war sie durch das Loch in der Decke hineingeflogen, und suchte nun ebenfalls Schutz vor dem Schnee. Kaum hatte Lucas die Tür hinter sich geschlossen, da baute sich Birger vor Natascha auf.

„Ich glaube du bist uns eine Erklärung schuldig“, zischte er fordernd.

„Später“, vertröstete ihn die Frau trocken und wandte sich von ihm ab.

Wütend ergriff der Krieger ihre Hand und zog sie zu sich.

„Nein, jetzt.“

Natascha erkannte, dass er sich nicht mit Ausreden zufrieden geben würde. Seufzend erzählte sie den beiden Kriegern von dem Überfall und von der Magierin Traudl, die sie offensichtlich verzaubert hatte. Lucas konnte es nicht fassen, dass er derart hinters Licht geführt wurde. Wut und Zorn überkam ihn.

„Diese elende Magierin“, schrie er, während Birger, zwar sichtlich angespannt war, dennoch einen kühlen Kopf bewahrte.

„Wenn ich die in die Finger kriege…“, fluchte er vor sich hin.

„Beruhige dich“, kam es aus Birger nur trocken.

„Das bringt uns jetzt auch nichts.“

„Aber wir müssen ihnen nach!“, wies er seinen Gefährten an.

Jener schüttelte nur den Kopf, denn auch in ihm loderte das Verlangen nach Gerechtigkeit, doch er musste sich zusammenreißen. Magier durfte man nicht unterschätzen, und wenn diese Traudl es schon einmal geschafft hatte, sie zu manipulieren, wollte er nicht wissen, zu was sie noch im Stande war.

„Wir müssen zunächst unsere Mission erfüllen", philosophierte er schließlich in Richtung Lucas.

„Danach sehen wir weiter."

Dieser atmete ein paar Mal tief durch und versuchte seinen Ärger hinunter zu schlucken. Natascha machte sich unterdessen daran ein kleines Feuer im Kamin zu entfachen.

Das Feuer knisterte unruhig und der Raum war von einer angenehmen Wärme erfüllt, als Natascha ihre Augen öffnete. Die Eule saß vor ihr und stupste sie mit dem Kopf leicht an. Sie hob den Kopf aus dem Strohlager und blickte sich um. Lucas schlief im gegenüberliegenden Bett und schnarchte leise, während sich Birger an den Kamin anlehnte.

„Gut gemacht“, lobte sie ihre Eule und strich sanft über das geschmeidige Gefieder.

Still, wie eine Maus stieg sie aus dem Bett.

Der Boden knarrte, als sie sich ihrer Tasche näherte und ruckartig blickte sie zum Krieger am Kamin. Im schwachen Licht erkannte sie, das seine Augen immer noch geschlossen waren. Behutsam zog sie eine kleine Phiole aus dem Stoffbeutel. In dieser befand sich eine hellgrüne durchsichtige Flüssigkeit, die träge hin und her schwappte. Sie hockte sich vor dem Krieger hin, der friedlich vor ihr schlief und nichts von dem mitbekommen hatte. Schon beim letzten Mal, als sie ihn im Schnee fand, konnte sie seine schwache magische Ausstrahlung spüren. Um ehrlich zu sein brauchte sie sich dafür noch nicht einmal anzustrengen. Irgendetwas Geheimnisvolles umgab diesen Krieger und das war nicht allein die Verzauberung, die auf seiner Rüstung lag, das hatte sie schon herausgefunden. Sie strich über den Brustpanzer, der eine ungewöhnliche Hitze ausstrahlte. Der Zauber, der in die Rüstung eingelassen war, besaß den Nachteil, dass sich die freiwerdende astrale

Energie in Form von Wärme über das gesamte Metall ausbreitete.

Mit einem Lächeln öffnete sie die Phiole und nahm einen kleinen Schluck der bitteren Flüssigkeit. Letztes Mal kam sie nicht dazu weitere Nachforschungen anzustellen, den Lucas wich nicht von seiner Seite und die Gefahr entdeckt zu werden war zu groß. Natascha murmelte ein paar einfache magische Worte und wie vom Blitz getroffen überkam sie die verschiedensten Gefühle. In Gedanken wiederholte sie immer wieder ihren Namen und einzelne Emotionen verstärkten sich. Wut überkam sie, Abscheu und in erster Linie Angst. Doch nach und nach machten diese Gefühle Platz für einen leichten Anflug von Zuneigung und tief verborgen unter alle dem. Dankbarkeit.

„Doch nicht so eiskalt, unser Krieger“, kicherte sie.

Darauf stimmte sie leise ein Lied an, das sie von ihrer Schwester gelernt hatte und konzentrierte sich auf diesen Mann. Immer tiefer tauchte sie in den rhythmischen Gesang ein. Der Raum um sie herum verschwand und Finsternis umgab sie. Das Lachen von Kindern drang an ihr Ohr und als sie sich umdrehte, erblickte sie eine felsige Landschaft, die an wenigen Stellen von kargen Gräsern durchzogen wurde. Der Himmel war wolkenverhangen und nur an vereinzelten Stellen drang das Licht der Praiosscheibe hindurch. Weit entfernt erkannte sie zwischen den Steinen die Häuserspitzen eines Dorfes.

„Warte doch Yuan!“, rief eine mädchenhafte Stimme und Natascha blickte sich um.

Nicht weit von ihr lief ein kleines blondes Mädchen von gerade einmal fünf Götterläufen einem Kerl hinterher.

„Dann fang mich doch!“, erwiderte der Knabe und hüpfte vergnügt über die Steine.

Er besaß ebenfalls blonde Haare und auffällig dunkle Augen, doch die kindlichen Blicke strahlten eine Gelassenheit und Freude aus, die nur wenig mit der jetzigen Härte gemeinsam hatten.

Ein falscher Schritt, und das Mädchen fiel der Länge nach hin. Sie brach in Tränen aus und schlunzte den Namen des Bruders. Dieser lief sofort zu ihr, um ihre Verletzung genauer zu betrachten. Natascha betrachtete das Geschehen aus der Ferne. Sie hätte nie gedacht, dass der so eiskalte Krieger einst dieser kleine Bursche war. In Gedanken fragte sie sich, was wohl vorgefallen ist, dass er so wurde, wie er nun war. Endlich kannte sie auch seinen wirklichen Namen, den Birger war offensichtlich nur ein Deckmantel.

„Yuan", säuselte sie und kaum hatte sie diesen Namen laut ausgesprochen, da verwandelte sich die Landschaft im bergigen Salzkammergut in ein Flammenmeer.

Hitze umgab sie und das Brüllen eines wilden Tieres war so laut, das sie sich die Ohren zuhalten musste. Glutrote Augen näherten sich ihr und das Feuer schnitt ihr die Luft ab. Panik machte sich in ihr breit. Verzweifelt rang sie nach Luft. Langsam schlugen die Flammen nieder und die Umrisse des Raumes zeichneten sich ab. Sie blickte in die hasserfüllten Augen des Kriegers. Sein Gesicht spiegelte die Wut, die er im Augenblick empfand wieder. Mit der rechten Hand hatte er den Hals von Natascha in einem eisernen Griff, während die Linke, nach dessen

Dolch tastete. Panisch versuchte sie, sich zu befreien und sie spürte, wie die Fingernägel tief in das Fleisch seiner Hand schnitten. Erste Blutstropfen liefen den Handrücken hinunter und fielen schwer auf den Boden, doch der Krieger ignorierte den Schmerz und auch sein Griff verlor kein Stück an Kraft.

„Was bist du?“, knirschte er leise, während die Frau weiter nach Luft rang.

Kapitel 8

Die Hexe und der Drache

Birger musste sich beherrschen, um Natascha nicht vollständig die Luft abzuschnüren. Obwohl sie ihnen geholfen hatte, sogar das Leben gerettet hatte, traute er ihr nicht über den Weg. Als er im Halbschlaf seinen Namen hörte, reagierte er schlagartig. Niemand kannte jenen, außer dessen Schwester und die Eltern.

„Bitte..", flehte Natascha mit kaum vernehmbarer Stimme und Birger sah, wie die Angst ihre Augen füllten.

Eine Träne lief ihre Wange hinab und endlich löste Birger den Griff etwas. Er war zwar im Augenblick voller Hass und Wut, doch er wollte sie nicht töten. Ohne die Hand vom Knauf des Dolches zu nehmen, griff er mit der anderen Hand an seinen Gürtel und löste einen roten Stofffetzen. Er hielt das kleine Taschentuch Natascha hin, die es ihm aus der Hand riss, während sie beschämt zu Boden sah. Sie hatte sich zu sicher gefühlt und oft genug hatte ihre Schwester sie ermahnt die magische Begabung nie öffentlich zur Schau zu stellen oder mit nicht eingeweihten darüber zu reden.

„Ich warte“, versicherte Birger nur trocken, doch sein Gesicht zeigte immer noch die tiefe Wut, die er innerlich empfand.

Natascha blickte ihn mit traurigen Augen an, erkannte jedoch, dass eine Ausrede sinnlos sein würde.

„Ich bin eine Tochter Satuarias“, antwortete sie leise.

In einer einzelnen Bewegung zog er den Dolch aus der Scheide und hielt ihn abwehrend vor ihr Gesicht. Birger mochte Magie nicht, die magische Rüstung war das Einzige, was er tolerierte. Er wusste, dass Zauberer, die keiner Gilde angehörten, vor allem der Weißen oder der Grauen, gefährlich sein konnten.

„Was hast du mit mir gemacht“, beschwerte sich Birger und sein Tonfall war harsch und düster.

„Ich habe nichts mit dir gemacht“, erwiderte Natascha empört über diese Unterstellungen.

„Lüg´ nicht, Hexe."

Birger war sichtlich angespannt und der Griff um den Dolch wurde fester.

„Nur drei Personen kennen meinen Namen. Woher hast du ihn?"

„Schau", begann die junge Frau und drückte behutsam die Hand mit dem Dolch nach unten.

„Ich habe nur einen Blick in deinen Traum erhascht. Weder habe ich dich verhext, noch wollte ich dir schaden."

Natascha sprach die Wahrheit, es war Neugier, die sie zu dieser Tat trieb und nicht der Wille ihm zu schaden.

„Wenn ich dich hätte umbringen wollen, hätte ich euch doch wohl kaum vor den Wachen gerettet."

Der Krieger hielt inne. Er sah ihr an, dass sie die Wahrheit sagte, auch wenn er trotzdem nicht sehr erbaut darüber war, was sie getan hatte. Langsam steckte er den Dolch wieder in seine

Scheide und bedachte sie mit einem strengen Blick.

„Da du uns das Leben gerettet hast, werde ich diesmal nichts unternehmen.“

Seine Mimik verhärtete sich bei den folgenden Worten.

„Aber sage jemanden meinen Namen, oder versuche das noch einmal und ich übergebe dich der Praioskirche.“

Natascha nickte rasch, denn mit Praiosgeweihten war in dieser Hinsicht wirklich nicht zu spaßen. Nur widerwillig zog sie sich auf ihr Bett zurück. Der flüchtige Einblick in seine Gedanken hatte nicht einmal einen Bruchteil ihrer Fragen beantwortet, sondern nur noch mehr jener aufgeworfen. Es kam so gut wie nie vor, dass eine nicht magisch begabte Person über einen wahren Namen verfügte, sowie eine zauberhafte Aura, die ihn umgab. Wer war dieser Yuan und wieso versperrte er sich so, wenn es um seine Vergangenheit ging.

Die Fragen brannten Natascha auf der Zunge, aber sie konnte sie unmöglich stellen. So lag sie schweigsam da und beobachtete den Krieger aus den Augenwinkeln. Als Lucas am nächsten Morgen erwachte, schienen die ersten Praiosstrahlen durch den Holzverschlag der Hütte. Das Feuer war bereits niedergebrannt und Firuns eisiger Atem blies ihm schwach ins Gesicht. Er vergrub sich in seinen Umhang und rieb sich mit dem weichen Stoff die verschlafenen Augen.

Alles wirkte ruhig und friedlich, nur das Holz knarrte leise im sanften Wind, der draußen über die weiße Landschaft fegte. Lucas blickte zu dem Krieger, der am Fenster stand und die Umgebung aufmerksam musterte. Sein Gesicht strahlte nicht die sonst so übliche Gelassenheit aus, sondern wirkte erschöpft und merklich angespannt. Anscheinend hatte er in der letzten Nacht nur wenig Schlaf gefunden. Natascha hingegen lag noch schlafend auf dem Bett und atmete leise. Der junge Söldner erhob sich und blickte wieder auf Birger. In seinen Augen lag eine tiefe Traurigkeit und die geröteten Augenlieder zeichneten sich deutlich von der hellen Haut ab. Doch bevor Lucas sich über dessen Zustand erkundigen konnte, wandte der Krieger sich ab und begann, seine Sachen zusammen zu suchen. Mit der Zeit begann auch Lucas nun sein Kettenhemd und den Waffenrock überzustreifen, da sie offensichtlich demnächst aufbrechen würden. Geweckt durch das metallische Rascheln des Hemdes, hob Natascha verschlafen den Kopf.

„Morgen“, murmelte sie vor sich hin, doch kaum hatte sie die beiden reisefertigen Männer erblickt, da weiteten sich ihre Augen.

„Was habt ihr vor?“, fragte sie völlig entgeistert.

Birger hob den Blick und entgegnete nur trocken:

„Wir machen uns wieder auf den Weg.“

Wie vom Blitz getroffen sprang sie aus dem Bett, zupfte ihre Kleider zurecht und nahm ihre kleine Tasche.

„Ah, du kommst mit uns, wusste ich gar nicht“, bemerkte Lucas vor Freude strahlend.

Er konnte sich gut vorstellen, dass die Wanderungen mit ihr ein wenig gesprächiger sein würden, und er begrüßte dies. Nicht dass er die Gesellschaft des Kriegers bemängeln wollte, aber Birger war eher ein schweigsamer Mensch.

„Nein wird sie nicht“, stellte dieser klar, bevor Natascha etwas antworten konnte.

„Unsere Wege trennen sich.“

„Warum?“, fragte Lucas erstaunt.

„Ich meine, wir könnten sie gut gebrauchen, immerhin hat sie uns schon zwei Mal geholfen.“

Birger seufzte.

„Das geht aber nicht.“

Er schaute Natascha an, die ihm einen bittenden Blick zuwarf. Lucas trat an den Krieger heran und warf ihm den Arm um die Schulter.

„Jetzt hab dich nicht so“, flüsterte er leise.

„Wir können doch keine so schöne Frau alleine hier lassen.“

Birger verstand, worauf der junge Ritter hinaus wollte, auch wenn seine Beweggründe offensichtlich erschienen.

„Und sie scheint dich zu mögen, war…"

Der Krieger löste sich von Lucas und ging zur Tür. Bevor er sie öffnete, blickte er zu Natascha.

„Mach dich fertig, wir brechen gleich auf."

Darauf stieß er die Tür auf und der eisige Wind wehte durch die kleine Hütte. Dankend blickte Natascha zu Lucas, der ihr mit einem Lächeln auf den Lippen zu nickte. Begleitet vom Schein der Praiosscheibe setzten die Drei ihre Reise fort, vereinzelt zogen weiße Wolken am Himmel vorbei und die mit Schnee bedeckten Hügel und Täler ließen keinen Horizont in der Ferne erkennen. Alles um sie herum wirkte leer und die unheimliche Stille wurde nur vom wehen des Windes gebrochen. Birger ging ein weites Stück vor ihnen und hinterließ tiefe Abdrücke im Schnee.

„Woher kommst du eigentlich?", erkundigte sich Lucas an Natascha gerichtet, als sie schon ein gutes Stück zurückgelegt hatten.

Die junge Frau blickte nervös zu Birger, den diese Unterhaltung offensichtlich nicht interessierte.

„Ich komme aus einem kleinen Dorf nahe Hallein."

„Ah", seufzte der junge Söldner interessiert.

„Südbergisch also."

Nunja das stimmte nicht ganz, den Hallein lag eher in süd-östlicher Richtung, aber Geographie war nun mal nicht seine Stärke.

„Was verschlägt dich nach Großgmain?"

„Ich wollte zusammen mit meiner Schwester eine Arbeitstelle als Alchemist finden", antwortete sie und mit jeder Silbe wurde ihre Stimme zunehmend trauriger.

„Wo ist deine Schwester jetzt?", bohrte Lucas weiter nach, doch Natascha blickte nur zu Boden und schwieg.

„Und eure Eltern?"

Lange Zeit antwortete sie nicht und irgendwann platzte Lucas heraus.

„Also meine Eltern haben mich einfach so, mir nichts dir nichts in der Wildnis ausgesetzt.“

Natascha hob den Kopf und in ihren Augen konnte er die Verwunderung lesen, die darin lag.

„Warum haben sie das getan?“, fragte sie neugierig.

Lucas kratze sich am Kopf.

„Also das, nun mein Vater hält mich offensichtlich für eine Schande und da hatte er kurzfristig beschlossen das Problem zu lösen, indem er mich aus der Kutsche warf… Mitten in der Nacht… Allein.“

Natascha sah ihn mitleidig an, dann zeigte sie auf Birger, der wenige Ellen vor jenen den Weg entlang ging.

„Und er?“

„Soweit ich weiß sind seine Eltern umgekommen, als ein …“

Der Schneeball traf Lucas mitten ins Gesicht und der Aufprall war so heftig, dass er benommen nach hinten taumelte.

Lucas rieb sich den kalten Schnee aus dem Gesicht.

„Was sollte das denn?“, schrie er den Krieger wütend an.

„Stell´ dich nicht so an“, entgegnete Birger nur trocken und baute sich bedrohlich vor Natascha auf.

„Ich habe dir gestern Nacht doch schon einmal was zu diesem Thema gesagt.“

„Was war den gestern Nacht?“, fragte Lucas, der nicht wusste, was gemeint war.

„Nichts“, antworteten beide, in einem Tonfall, der keine weiteren Fragen duldete.

Beschämt blickte Natascha in Birgers Augen, die ernst und doch erschöpft wirkten.

„Verzeih mir bitte“, sprach sie mit kaum vernehmbarer Stimme.

„Schon gut“, stöhnte Birger.

„Redet bitte über etwas anderes, als über meine Vergangenheit.“

Natascha nickte mit einem leichten Lächeln auf den Lippen. Lucas stand nur mit einem wunderlichen Gesichtsausdruck da und kratzte sich wieder am Kopf.

„Manifesto Ignis!“, rief die Pfadsucherin und bemühte sich dabei auf ihre Hand zu konzentrieren. Doch so sehr sie es versuchte, kein Feuer erschien auf der Handfläche.

„Nein, das machst du völlig falsch.“

Tadelte Florian, der die Versuche aus einem kleinen Stuhl beobachtete. Er begrüßte es zwar, dass die Halbelfe neue Magie erlernen wollte, doch stellte sich das Lernen als echte Herausforderung heraus. Egal, wie oft er ihr die wichtigsten Bestandteile des einfachen Zaubers Manifesto Elementum erklärte, gelang es ihr trotzdem, nicht ein magisches Feuer zu entzünden.

Das Studierzimmer, dass ihm bereitgestellt wurde, war nicht außerordentlich prunkvoll, aber es entsprach allen Anforderungen. Aufgrund seines Könnens und der Erfahrung hatte man ihm angeboten, zwei Jahre lang an der Schule Schwert und Stab zu Salzburg zu studieren und jungen Discipulus die Lehren der Magie näher zu bringen. Das Zimmer bot Platz für einen schweren Eichentisch, auf dem verschiedenste Bücher verteilt lagen, ein Bücherregal, sowie einer Kommode. Das Bett befand sich in einem angrenzenden Raum.

Nur durch die guten Beziehungen von seinem Freund Ulfried von und zu Sturmbach, den er durch dessen Magus kennen gelernt hatte, war es möglich ebenfalls einen Platz für die Halbelfe zu bekommen. Ihr Schlafgemach befand sich bei den weiblichen Discipula, die sie aufgrund ihrer Fremdartigkeit oft verspotteten.

Es war nicht leicht für Sandra, denn viele Leute sahen sie weder als Elf, noch als Mensch an. Sie war ein Kind ohne Zuhause, denn auch die in Salzburg lebenden Elfen akzeptierten sie nicht.

„Du musst dich auf die magische Essenz konzentrieren, die durch deinen Körper fließt. Dann erst sprichst du die Formel."

Florian hob seinen Zeigefinger und sprach die magischen Worte. Wie aus dem Nichts entstand eine kleine Flamme, die unruhig hin und her tanzte.

„Siehst du, es ist ganz leicht", fügte er noch mit einer ernsten Miene hinzu.

Sandra verschränkte vor Empörung die Arme vor der Brust und murmelte etwas auf Isdira vor sich hin.

„Übe dich in Geduld, kleine Pfadsucherin. Manche Dinge brauchen Zeit." Erklärte der Magier und vertiefte sich wieder in seine Studien. Heute musste er eine Vorlesung über die verschiedenen Elemente und deren Bedeutung für die Magie halten. Es war zwar ein Thema, das er zur Genüge kannte, doch er wollte auf mögliche Fragen vorbereitet sein.

„Wirst du heute wieder anwesend sein?", fragte er.

Häufig hatte sie seinen Vorträgen gelauscht, doch meistens hatte sie nicht viel davon verstanden. Schmollend zuckte sie nur mit den Achseln. Dann stand sie auf und ging zur Tür.

„Ich komme gleich wieder“, huschte es ihr über die Lippen und kurz darauf verließ sie den Raum.

Sie lehnte sich an die Wand und atmete tief durch. Alles war so neu und irgendwie fühlte sie sich erschöpft. Die neue Umgebung, die fehlende Nähe zur Natur und die Kälte zerrten an ihren Kräften. Und was ihr am meisten zu Herzen ging, war die Einsamkeit. Trotz der Menschen, die sie umgaben, fühlte sie jene intensiv und tief. Florian gab sich die beste Mühe und kam ihr entgegen, wo er nur konnte, trotz seiner anfänglichen arroganten Art, doch sie wusste, dass er ihre Lage nicht verstand. Kaum hatte sie ein paar Schritte den Gang entlang gemacht, da kamen ihr zwei Discipula der höheren Jahrgänge entgegen. Sandra kannte beide und sie mochten die Halbelfe nicht sonderlich. Paula, die ältere, galt bis zum Erscheinen der Pfadsucherin als schönste Magierin und die männlichen Schüler lagen ihr zu Füßen, doch mit dem Auftauchen der Halbelfe hatte sich dies geändert. Die Pfadsucherin galt nun, vor allem wegen ihrer Fremdartigkeit und ihrer elfischen Abstammung, als Schönheit und viele waren bestrebt, ihr Komplimente zu machen. Sandra versuchte dies nach Möglichkeit zu vermeiden, denn sie mochte es nicht, wenn man sie wie einen Gegenstand anhimmelte.

„Wenn haben wir denn hier? Das Halbblut“, entgegnete sie spöttisch und stellte sich der Halbelfe demonstrativ in den Weg.

Paula war kleiner als Sandra, doch sie wusste, dass es der Halbelfe untersagt war ihre Magie zu benutzen, wodurch sie sich sehr sicher fühlte. Die Halbelfe versuchte an ihr vorbei weiter zugehen, denn sie wollte einen Streit vermeiden. Doch Felia, die Freundin Paulas versperrte ihr den Weg.

„Warum so eilig?“, höhnte diese.

„Du kannst doch sowieso nirgends hingehen.“

Sandra bedachte das Mädchen mit einem wütenden Blick. Wie gern würde sie den beiden zeigen, was sie von ihnen hielt. Doch sie musste sich in Zaum halten. Täte sie beiden weh, hieße das nicht nur einen Rauswurf von der Akademie, sondern auch, dass Florian seinen Platz verlieren würde. Und dies wollte sie nicht riskieren, nicht nachdem, was er für sie getan hatte.

„Lass mich bitte durch, tala", bat sie mit leiser Stimme.

„Oh nein, jetzt hast du sie wütend gemacht, Felia."

Es folgten die üblichen Beleidigungen, die Paula ihr wann immer sie konnte, vorwarf. Viele überhörte die Halbelfe, doch eine hallte ihr abermals im Kopf.

„Niemand will dich Halbblut, wieso verschwindest du nicht einfach."

Paulas Gesicht zierte ein diabolisches Lächeln. Sandra wollte ihr entgegen schreien, dass dies nicht stimmte. Sie hatte Lucas, doch sie wusste, dass dies nichts bringen würde und sie senkte den Kopf, damit Paula ihre traurigen Augen nicht sehen konnte.

„Was geht hier vor?"

Eine tiefe Stimme halte durch den Korridor und leise Schritte näherten sich.

„Nichts, Magus von Sturmbach“, reagierte Felia schnell und zog Paula hinter sich her, weg von der Halbelfe.

„Alles in Ordnung?“, fragte Ulfried von Sturmbach und die jene hob den Kopf.

Ihre Augen waren wässrig und leicht gerötet, mit dem Handrücken wischte sie sich die Tränen weg und nickte knapp.

„Danke“, sagte sie mit erleichterter Stimme.

Der Magus betrachtete sie mit einem ernsten Gesicht. Dann bemerkte er mit einem gleichgültigen Ton.

„Täusche dich nicht. Ich teile ihre Meinung, Geschöpfe wie du haben hier nichts verloren.“

Diese Worte fühlten sich an wie eine eisige Klinge, die sich tief in ihr Fleisch bohrte und ihr wurde klar, dass sie niemanden hatte, der auf ihrer Seite war. Mit wässrigen Augen stürmte sie in ihr Schlafgemach und warf sich auf das Bett.

Die Trauer sich in ihr Herz und sie ließ den Tränen freien Lauf. Innerlich sehnte sie sich nach der Person, die sie jetzt am meisten brauchte.

„Lucas, wo bist du?“, weinte sie immer wieder in das Kopfkissen.

Draußen vor der Tür stand Florian, die Faust erhoben, um anzuklopfen, doch er hörte das Schlunzen und hielt inne. Die leisen Hilferufe auf Isdira drangen an sein Ohr. Behutsam legte er die Hand auf das Holz der Tür.

„Alles braucht seine Zeit“, beteuerte er.

Dann folgte er dem Diener, der ungeduldig hinter ihm wartete. Als er nach der Vorlesung wieder zu den Schlafstätten zurückkehrte, schienen die Sachen der Pfadsucherin verschwunden. Er suchte sie innerhalb der Akademie, doch vergebens. Keiner wusste, wo sie war und niemand wollte sie gesehen haben. Auf der einen Seite war er froh, dass er sich nun wieder vollkommen auf seine Studien konzentrieren konnte, doch ihn beschlich das Gefühl, dass ihn irgendwas mit diesem Wesen verband, doch was, vermochte er nicht genau zu erklären. Alpträume quälten Lucas, als er nachts im Bett der Taverne lag. Er sah ein Schlachtfeld, karges Land, das unter den Schreien der Armeen erbebte. Die Mauern der Stadt lagen teilweise in Trümmern und dunkle Rauchschwaden stiegen dahinter empor. Schatten von Drachen flogen umher und setzten das Schlachtfeld vereinzelt in Brand. Mutlos erhob er den Blick gen Mirabell. Die Wolken am Himmel waren so dicht, sodass kein Schein der Praiosscheibe hindurch drang.

Ein Banner der Fatimakirche flog umher und fiel in den Schlamm, um ihn herum lagen gefallene Soldaten, Freunde neben Feinden, Ritter der Herrin Fatima an der Seite von Purpurgardisten des Namenlosen. Um ihn herum drang das Singen des Stahls an sein Ohr. Auf den Knien betrachtete er den Rabenschnabel, der schwer in seiner Hand lag. Das Blut tropfte auf den staubigen Boden und formte eine kleine Pfütze. In der anderen Hand hielt er einen verbeulten Buckler. Große Teile des Brustpanzers waren zerstört und legten die unter dem purpurnen Wappenrock liegenden Wunden frei. Trotz der zahlreichen Verletzungen spürte er keinen Schmerz. Obwohl um ihn herum eine erbitterte Schlacht tobte, fühlte er eine große Erleichterung. Tief in seinem inneren wusste er, dass sie gesiegt hatten. Sich auf der Waffe abstützend schaffte er es, sich zu erheben und mit schwankenden Beinen bewegte er sich nach vorne, ohne die Richtung zu kennen. Der verschwommene Blick glitt über die Schlachtreihe. Mutige Frauen und Männer, die bis aufs auf den letzten Soldaten die Stadt verteidigen würden. Dann sah er sie aus der Menge hervorstechen.

Ihre langen blonden Haare waren zu einem Zopf zusammengebunden und ihr Gesicht wirkte verdreckt. Über der grünen Lederrüstung trug sie an der Hüfte eine blaue Schärpe mit dem Fuchs von Salzburg. Kaum hatte sie ihn erblickt, da zog sie einen Pfeil aus ihrem Köcher und zielte auf ihn. Bevor er reagieren konnte, flog der dann auf ihn zu, ein dumpfer Schlag durchzog seinen Körper und langsam verblassten die Geräusche um ihn herum. Er fiel auf die Knie und spürte, wie die Kräfte ihn verließen. Dann schlug er seitlich auf dem Boden auf. Stimmengewirr drang an sein Ohr, das Rufen nach Hilfe. Irgendjemand drehte ihn auf den Rücken. Die Farben wichen zu einem dunklen Grau und jedes Gefühl fuhr aus seinem Körper. Er schloss die

Augen und ohne Gegenwehr ließ er die Dunkelheit gewähren.

„Wo bist du?", vernahm er die Stimme der Halbelfe.

Er schoss aus dem Bett, die Hand ausgestreckt, so als wolle er nach etwas greifen, doch sein Griff verlief ins Leere. Instinktiv umschloss er sein Amulett. Den Göttern sei Dank war es nur ein böser Traum, jedoch war alles so echt gewesen. Das Bild der Pfadsucherin vor seinem geistigen Auge. Irgendwie hatte er das Gefühl, dass sie noch am Leben sei, oder war es doch nur sein tiefster Wunsch? Verschlafen drehte er den Kopf zu der kleinen Kerze, dessen Licht den Schlafsaal erhellte. Natascha saß gegenüber von Birger auf dem Boden und blickten verwundert zu Lucas. Beide wirkten, als seien sie bei etwas Verbotenem erwischt worden, aber bevor der junge Ritter sich selbst fragen konnte warum, sagte Birger nur rasch.

„Schlaf weiter."

Wie von einem Befehl getroffen ließ er sich in das Bett fallen und versuchte wieder einzuschlafen. Er wälzte sich unruhig hin und her,

Ängste plagten seine Gedanken und dauernd sah er das Gesicht der Halbelfe vor sich. Auch am nächsten Morgen, als sie ihre Reise fortsetzten, war er so sehr in seinen Gedanken vertieft, dass er dem Gespräch der Kameraden kaum folgen konnte. Mit festem Griff umschloss er das schmiedeeiserne Amulett.

Es würde ihn beschützen.

Nataschas Hand auf seiner Schulter schreckte ihn aus diesen Gedanken.

„Alles in Ordnung?“, sorgte sie sich.

Er nickte knapp und senkte das Haupt.

„Wegen letzter Nacht...“, begann sie zu erklären, wobei Lucas ihr einen fragenden Blick zuwarf. „.. also, ich..., nun.“

„Ja, ich hatte einen Albtraum“, bestätigte Lucas schnell, und sah zu Birger, der ein Stück vor ihnen durch den Schnee stapfte.

Natascha war verwundert, konnte er sich wirklich nicht daran erinnern?

„Hab ich dich geweckt?“, fragte er, sie antwortete schnell mit einer abwinkenden Handbewegung.

„Ach nein, nein.“

Sie war froh, dass er nichts von dem nächtlichen Gespräch mitbekommen hatte und es musste ja nicht jeder wissen, worüber sie geredet hatten. Sie eilte zu Birger, der stehen geblieben war und nun mit dem Finger auf den Jungen zeigte.

„Schlaf weiter“, entgegnete er und Lucas starrte ihn nur verdattert an.

„Schade, klappt anscheinend nicht immer.“

Damit drehte er sich zu Natascha, die bei dem Satz in schallendes Gelächter ausbrach.

„Was klappt nicht immer?“, wollte der junge Söldner wissen und kratzte sich am Kopf.

Er verstand nun gar nichts mehr. Einen kurzen Moment sah er den beiden hinterher, die belustigt nebeneinander weitergingen, dann folgte er ihnen mit langsamen Schritten. Es schien, als ob über die Praiosläufe hinweg eine Art Zauber gebrochen worden war. Birger, den Lucas als zurückgezogenen und ernsten Menschen kennen gelernt hatte, wirkte nun zunehmend offener und freundlicher. Vor allem Natascha gegenüber hatte sich seine Umgangsweise stark verändert, nur zum Positiven.

Es wirkte fast so, als ob beide einander näher gekommen wären, auch wenn sie versuchten, es vor Lucas zu verheimlichen, aber er war kein Narr, wie sie es dachten. Ebenso die Tatsache, dass sie häufig nebeneinander aufwachten und immer überrascht taten, wenn Lucas sie drauf ansprach, war mehr als auffällig. Er hielt sich bedeckt, denn er wollte die beiden weder mit Fragen bedrängen, noch durch seine Neugier verunsichern.

„Wir sind bald da", erklärte Birger, als sie schon weiter entfernt die Umrisse eines kleinen Dorfes erspähten.

„Ab jetzt müssen wir vorsichtig sein."

Lucas und Natascha nickten beide. Nun begann ihre Mission, und die Ergreifung eines niederen Dieners des Namenlosen. Das Dorf bestand aus nur sehr wenigen Hütten, die größtenteils heruntergekommen waren. In der Mitte stand ein alter Tempel der Peraine, welcher jedoch ebenfalls völlig verlassen wirkte. Die Menschen, die ihnen begegneten, mieden sie und verschlossen als sie näher kamen sogar ihre Türen. Nicht besonders gastfreundlich und offenbar mochte man keine Besucher. Immer wenn sie versuchten, irgendwelche Informationen zu erlangen, wurden sie weggeschickt, oder gar nicht erst beachtet.

Da keine Schenke in dem Dorf existierte, ließen sie sich, als die Praiosscheibe am Horizont verschwand, im Peraine Tempel nieder. Knarrend öffneten sich dessen Pforten und der Innenraum, aus kaltem Stein, wirkte verstaubt und vernachlässigt. Der steinerne Altar war von Rissen durchzogen und die Feuerschalen, die einst den Raum erhellten, waren vollkommen verrostet. Lucas überprüfte die angrenzenden Zimmer, auf mögliche Verstecke, doch außer leeren Fässern und Truhen fand er nichts Auffälliges.

„Scheint sicher zu sein für diese Nacht“, vermutete er, als er wieder in den Raum mit dem Altar zurückkehrte.

Natascha hatte derweil ein kleines Feuer aus den Überresten eines Stuhls entfacht, das alle drei gut wärmte.

„Was nun?“, fragte Natascha an Birger gewandt, der wortlos ins Feuer starrte.

Er hatte nicht damit gerechnet, dass die Menschen hier so unkooperativ sein würden. Es blieb ihnen wohl nichts anderes übrig, als jeden Finger dieser Stadt zu durchsuchen, bis auf den letzten Stein. Es wäre auch durchaus möglich, dass der Diener längst weitergezogen war und in dem Falle müssten sie sich an seine Fersen heften.

„Wir bleiben erst einmal hier. Morgen werden wir uns auf die Suche machen“, schlug er schließlich vor.

Es drohte zwar keine direkte Gefahr, aber trotzdem erklärte er sich bereit über den Schlaf der Gefährten zu wachen. Natascha schlief ganz dicht bei ihm und mit der einen Hand hatte sie seine Rechte ergriffen, er spürte ihre warme und weiche Haut. Hatte er ihr zunächst nicht über den Weg getraut, so hatte sich ihr Verhältnis in den letzten Praiosläufen gebessert. Er fühlte mit jedem Abend, den sie miteinander redeten eine tiefe Zuneigung zu ihr. Zwar war sie eine Hexe, aber das störte ihn nicht mehr. Er strich Natascha über das schwarze kurze Haar.

Ein Kratzen an der Wand und in einer geübten Bewegung erhob er sich und streckte das gezogene Schwert in die Richtung des Geräusches. Aufgeschreckt durch das Ratschen der metallenen Scheide huschte eine Ratte über den Boden und verschwand in der Dunkelheit. Er atmete tief durch und steckte das Schwert zurück. Vielleicht war er einfach nur zu erschöpft. Als er auf seine Hand am Knauf der Waffe hinab sah, erkannte er eine kleine feine Nadel, die im Handrücken steckte. Verwundert zog er sie hinaus. Er riss die Augen auf, als er eine gelbe Flüssigkeit an der Spitze erkannte, doch da war es schon zu spät. Ein Zittern breitete sich von der Hand aus und erfasste seinen ganzen Körper. Die Knie wurden weich und sein Kopf drehte sich, er wollte nach Lucas rufen, doch er fiel nur leblos zu Boden. Der Ritter wurde unsanft aus dem Schlaf gerissen, irgendwer hatte ihn gefesselt und geknebelt und schleppte ihn nun fort. Er konnte nicht sehen wohin, spürte nur die festen Fesseln um seine Arme und Beine. Das Knarren einer Tür, das Rascheln von Ketten und dann wurde er achtlos, wie ein Tier in eine Ecke des Raumes geworfen.

Der Angreifer nahm ihm den Verbund um die Augen ab und Lucas sah einen dicklichen Mann, der mit einer ledernen Schürze bekleidet war. Seine hellen Haare waren an einigen Stellen verbrannt und er versprühte einen unangenehmen Geruch. Der zweite Mann schien ein älterer Herr zu sein, der eine Weste aus Stoff trug. An seinem Gürtel hing ein kleiner schlichter Dolch, der Raum war kaum zwei Schritt breit und genauso hoch und im Raum selbst, war nur Lucas. Grinsend ließen ihn die Männer im Raum zurück und er hörte, wie jemand über den Boden geschliffen wurde. Panisch versuchte er, seine Fesseln zu lösen, doch er merkte, dass sie sich anstatt zu lockern, fester um die Gelenke legten. Denk nach, Lucas, sprach er immer wieder zu sich selbst, in der Hoffnung sich zu beruhigen. Sein Rabenschnabel hatte er vor dem Schlafen neben sich auf den Boden gelegt und es war unwahrscheinlich, dass die beiden Männer so dumm waren und ihn im Raum haben liegen lassen. Es fiel ihm keine Möglichkeit ein, seine Fesseln zu lösen, geschweige denn die Angreifer zu überrumpeln. Einen Vorteil hatte er jedoch, nämlich dass die Bösewichte ihn unterschätzten. Die Dunkelheit in der er lag, sollte ihn zermürben, seinen Willen brechen, doch es war eine Umgebung, an die er gewohnt war.

Kühlen Kopfes ging er alle Möglichkeiten durch, die er hatte und immer wieder erkannte er Schwachpunkte in seinem Plan. Er kannte weder die genaue Zahl der Männer noch deren Fähigkeiten. Darüber hinaus war auch das Schicksal der Gefährten ungewiss. Mittlerweile hatte er es geschafft sich auf seine Knie aufzurichten und lehnte sich an eine der Wände. Mit möglichst kurzen Schlafpausen versuchte er, den Körper zu schonen.

„Wo sind sie?“, erklang eine tiefe weibliche Stimme, die Lucas vertraut vorkam.

„Einer ist hier, die anderen sind unten“, erwiderte eine barsche Männerstimme, folglich gab es weitere Stockwerke oder einen Keller.

„Gute Arbeit, ihr werdet reich belohnt“, wiederholte sich die Frau und schließlich entfernten sich die Schritte.

Irgendwann, als er jegliches Gefühl für die Zeit verloren hatte, öffnete sich die Tür. Er wurde geblendet durch das Licht der Fackel, welche die Gestalt in der Hand hielt. Lachend betrat der Mann mit der Stoffweste den Raum. Der helle Stoff wies große rote Flecken auf und in der anderen Hand hielt er seinen blutigen Dolch. Bedrohlich kam er auf den Jungen zu, während das Blut langsam zu Boden fiel. Lucas blickte den Mann Hass erfüllt an und sagte etwas, das durch den Knebel nicht zu bestimmen war.

„Oh winselst du um Gnade?“, spottete der Mann, als er sich Schritt für Schritt näherte.

„Zuerst werde ich dich foltern und dann meinem Gott opfern.“

Er hing die Fackel in die Halterung an der Wand. Dann packte er Lucas´ Gesicht und brachte den Dolch langsam näher an dessen Augen. Die blutrote Klinge funkelte bedrohlich im Licht. „Komm´, schrei für mich“, zischte der Mann noch.

Die Fesseln fielen zu Boden und seine Arme schnellten hervor. Mit Leichtigkeit drehte er den Dolch in der Hand des Mannes und zielte auf dessen Kehle. Noch versuchte der Angreifer Lucas zurückzudrängen, doch mit einem gezielten Faustschlag gegen den Knauf, versenkte er den Dolch bis zum Heft in der Kehle des Kerls. In Panik taumelte der Mann nach hinten, fasste sich an selbe und versuchte zu schreien, doch alles was er hervorbrachte, war ein unverständliches Krächzen. Der Ritter erhob sich und löste den Knebel.

„Erstick dran“, antwortete er.

Langsam glitt der Angreifer röchelnd zu Boden, rasch zog Lucas den Dolch aus der Kehle des Mannes und wischte die Klinge an dessen Kleidung ab. Bei der Durchsuchung des Leichnams fand er einen kleinen rostigen Schlüssel, den er an sich nahm, dann näherte er sich behutsam der leicht geöffneten Tür und spähte in den Korridor. Niemand war zu sehen oder zu hören. Der Gang war mit wenigen Fackeln erhellt und Lucas konnte zahlreiche Türen erkennen, die offensichtlich andere Zellen waren. Behutsam schloss er die Tür hinter sich und verschloss sie mit dem kleinen Schlüssel. Anschließend versuchte er die Kammern links und rechts von ihm nach weiteren Überlebenden ab, doch er konnte niemanden in den Zellen, die unverschlossen waren, finden. An der Letzten auf der linken Seite machte der Gang einen Knick, Lucas lugte um die Ecke und erkannte einen jungen Mann, der lustlos mit einem Schwert auf einen Stuhl saß. Bekleidet war er mit einem kurzen leicht rostigem Kettenhemd und einer hellen Stoffhose. Verdammt, diesen Weg würde er erst einmal meiden müssen, denn mit seinem Dolch konnte er es keineswegs gegen das Schwert ankommen.

Nur widerwillig zog er sich zurück und ging auf die gegenüberliegende Seite des Ganges. Auch dort führte ein weiterer Weg ab und Lucas erkannte eine Symmetrie in dem Aufbau. Vorsichtig erhaschte er einen kurzen Blick in den unbekannten Korridor. Niemand war zu sehen. Auf Zehenspitzen und so leise wie er nur konnte, stapfte er weiter, wobei er immer wieder seinen Kopf drehte, um nicht von hinten überrascht zu werden. In der Mitte des Korridors lag eine einfache Holztür, doch als er versuchte sie zu öffnen, merkte er, dass sie verschlossen war. Er lugte durch das Schlüsselloch, erkannte aber nichts. Als er das Ende erreichte, kam er erneut zu einer Abzweigung. Alle vier Gänge formten ein Viereck und waren miteinander verbunden und auch hier waren keine Wachen zu sehen, nur zwei kleine Türen, die einander gegenüber lagen. Er schlich zu den beiden Eingängen und lauschte. An der einen hörte er nichts, und auch der Blick durch die Nischen im Holz erbrachte keine Erkenntnisse.

Hinter der anderen Tür machte Lucas jedoch merkwürdige Geräusche aus, die er nicht einordnen konnte. Er beschloss, das Risiko auf sich zu nehmen und die erste Tür zu öffnen. Vorsichtig öffnete er sie, während sie leise knirschte. Dahinter verbarg sich eine Art Schlafkammer mit acht Betten, sowie einem großen Rundtisch in der Mitte. Sechs der Schlafplätze sahen benutzt aus, die anderen beiden waren voll mit Gerümpel, Ausrüstung und Rucksäcken. Auf dem Tisch standen eine Amphore sowie drei Tonkrüge. Daneben lag ein ausgebreitetes Kartenspiel, ebenso ein kleiner Haufen Silbertaler und Heller. Ohne nähere Fragen zu stellen, steckte er das Geld in seine Gürteltasche. Dann nahm er einen ordentlichen

Schluck, von etwas das er zunächst für Wasser hielt. Die Kehle brannte und ein kurzes unwillkürliches Zittern erfasste seinen Körper. Er betrachtete die Betten, einen hatte er erschlagen, ein anderer stand Wache. Mit den Fingern abzählend kam er auf vier Personen, deren Verbleib ungewiss war. Kurz überflog er das Gerümpel und erkannte einen Felixzenen Helm, nach alter bosparanischer Machart, verrostete Kettenteile und nutzlosen Schund. Lucas nahm den Helm an sich und betrachtete ihn im fahlen Licht der Fackel.

Der Helm war zwar etwas verbeult und Teile des Kamms, der das Haupt zierte, fehlten, doch er konnte den zusätzlichen Schutz gebrauchen. Er zog ihn auf und schloss die lederne Schnalle an seinem Kinn. Wie ein Deckel auf einem Topf passte der Helm ihm und er schränkte sein Sichtfeld nicht gravierend ein, auf dem anderen Bett fand er nur ein Seil und einen Borndorn. Mit dem kleinen Dolch in der linken und der gefundenen Waffe in der rechten Hand ging er zur zweiten Tür und öffnete sie behutsam. Der Schluck vorhin hatte seine Angst etwas gemindert und das Verlangen, die Gefährten zu finden wuchs. Die Tür ging lautlos auf und das

Geräusch wurde lauter. Er erblickte eine kleine Küche mit hölzernen Bänken und Tischen, weiter hinten auf dem Herd brodelte eine wohlriechende Suppe und schlagartig lief ihm das Wasser im Mund zusammen. Neben dem Topf auf einen Stuhl saß ein dicker Mann mit einer verdreckten Schürze. Er saß mit dem Rücken zur Tür und drehte sich nicht um, als Lucas sich langsam näherte.

Er umschloss die beiden Dolche fester, um sofort reagieren zu können, doch mit jedem Finger, den er sich antastete, wurde das leise Schnarchen lauter. Allmählich entspannte er sich und als er den Mann erreichte, legte er einen Dolch nieder. Der Koch war weder eine direkte Bedrohung, noch war es sinnvoll, jeden Einzelnen zu erschlagen, also holte er mit der freien Hand aus und schlug zu. Ein dumpfer Schlag hallte durch den Raum, als der eiserne Handschuh auf der Haut aufschlug. Der Mann fiel zu Boden und Lucas schnellte hervor und hielt ihm den Dolch an die Kehle, doch das brauchte er nicht, der Schlag hatte die gewünschte Wirkung erzielt. Der Koch war bewusstlos und blutete an der Schläfe, doch er war noch am Leben.

Eilig nahm Lucas das Seil und fesselte den Mann. Mit einem schmutzigen Tuch knebelte er den Mann, damit er nicht um Hilfe rufen kann, falls er erwachen sollte. Eine Tür fiel zu und er hörte, wie sich schwere Schritte näherten. Zeit, den Mann zu verstecken hatte er nicht. Lucas huschte zur Tür und versteckte sich hinter ihr, um nicht sofort entdeckt zu werden.

„Was meinst du wie lange wir er durchhalten?“, hörte er eine helle männliche Stimme kichernd sagen, doch an den Schritten konnte Lucas nicht erkennen, wie viele es waren.

„Ach, dem wird schon bald der Atmen ausgehen“, freute sich eine weitere, raue Stimme.

„So wie der Anderen.“

Ein Lachen erhellte den Gang und Lucas sah, den Schatten der Männer unter dem Türschlitz.

„Verdammtes Schwein wird dafür bezahlen mir die Nase gebrochen zu haben“, grunzte die zweite Stimme.

Die Typen waren jetzt ganz nah, und Lucas machte sich so klein wie eine Maus. Eine Tür schwang auf und die Männer traten ein. Der Junge atmete tief durch und den Göttern sein Dank hatten sie die Tür zu den Schlafstätten genommen, aber er war beunruhigt über das, was die Männer keiften. Er musste so schnell wie möglich nach unten kommen.

„Wo ist das Geld?“, vernahm er darauf.

„Bjorn!“, schrie eine Stimme wütend und schwere Stiefel stapften über den Boden.

„Dieser elende Hund!“

Nervös umschloss Lucas die Dolche fester. Er war zu leichtsinnig gewesen, jetzt war es nur eine Frage der Zeit, bis sie ihn ertappen würden.

„Finde ihn!“, schrie er und stapfte wütend davon.

„Pah, der kann was erleben“, erwiderte die helle Stimme.

Die Tür flog auf und Lucas musste aufpassen, dass er nicht von ihr erschlagen wurde. Ein schmaler Mann trat ein und musterte den Raum. Er trug keine Rüstung, sondern nur ein leichtes Leinengewand, das einige Löcher aufwies. An der Seite trug er ein Schwert, auf dessen Knauf nervös seine Hand ruhte.

„Bjorn!“, rief er in den Raum, doch niemand antwortete.

Er wollte sich gerade wieder entfernen, als er die Stiefel des Koches erblickte. Langsam näherte er sich dem Herd.

„Friedhelm, ist alles in Ordnung?“, fragte er leise.

Der Soldat war fast noch ein Knabe, nicht viel älter als 15 Götterläufe. Lucas konnte ihn unmöglich erschlagen, allein schon aus moralischen Gründen. Bei dem alten Mann in seiner Zelle war das was anderes. Er erinnerte sich an den Trick, den Birger ihm gelehrt hatte, während der kurzen Ausbildung.

Schnellen Schrittes näherte er sich dem Knaben, der wie gebannt auf den Koch am Boden blickte. Das Rascheln des Kettenhemdes und wie ein Pfeil drehte sich der Junge um. Verdammt.

Seine Augen weiteten sich, als er Lucas im Halbdunkeln hinter ihm erblickte. Gezielt griff dieser nach der Kehle des Jungen und drückte zu. Nur ein paar Momente und er würde ohnmächtig werden. Der Knabe schlug um sich, kratzte, doch die Platten der Rüstung waren fest verschnürt und keine Schwachstelle erkennbar. Lucas sah, wie der Widerstand des Jungen erlahmte. Dann folgte ein heftiger Schmerz, mit den letzten Kräften hatte der Steppke ausgeholt und in die einzige Stelle getreten, die nur spärlich geschützt war. Augenblicklich ließ Lucas den Jungen los und fasste sich an seinen wichtigsten männlichen Körperteil. Der Schmerz war so groß, dass er auf die Knie sank.

Mit schmerzerfülltem Gesicht blickte er zu dem Knaben hoch, der benommen nach hinten taumelte. Doch bevor er seinen Atem wiederfinden konnte, warf Lucas sich mit dem Kopf voran gegen dessen Beine. Der Junge wich aus, stolperte über den Hocker, der zu seinem Rücken stand und schlug mit dem Kopf auf den harten Stein. Ein paar Momente brauchte Lucas noch, bis der Schmerz geringer wurde. Er kroch zum leblosen Körper und sah, dass sich, dessen Brustkorb schwach hob und senkte. Als er wieder auf den Beinen war, nahm Lucas das Schwert an sich und schleifte den Jungen zum Koch.

„Noch drei“, keuchte er erschöpft, doch jetzt würde es deutlich einfacher werden mit dem Schwert.

Ihm wäre sein Rabenschnabel zwar lieber gewesen, doch der befand sich außerhalb der Reichweite. Ein paar Augenblicke setzte er sich noch auf die Bank und überlegte seine nächsten Schritte. An einen Fatimagefälligen Kampf war in einer solchen Situation nicht zu denken. Er durfte nicht auffallen, oder die Wachen alarmieren. Hoffend, dass seine Gefährten noch ein paar Momente durchhalten könnten, ging er wieder zur Tür.

Die Finsternis in der Höhle war vollkommen, nur der Flim Flam der Magierin erhellte den Weg. Die Gruppe die Traudl anführte bestand aus fünf schwer bewaffneten Soldaten, die ihre purpurnen Waffenröcke trugen und ein Dutzend junger Frauen, die in dünnen Laibchen gehüllt waren. An den Armen aneinandergefesselt wurden sie von den Soldaten immer tiefer in die Höhle getrieben, die in eine unnatürliche Wärme gehüllt war. Das Weinen und Klagen der Frauen wurde übertönt von dem Gelächter und den Befehlen der Männer.

„Vielleicht hat Norbert sich geirrt“, bemerkte Rainer, der Anführer der Truppe.

Er war zwar jung, doch hatte er stets seinen Gefühlen vertraut, wodurch er zu einem herausragenden Schwertkämpfer geworden war.

„Nichts, als Stein.“

Vor Götterläufen hatte er sich der Magierin angeschlossen, die ihn aus den Fängen der Fatimakirche befreit hatte. Sie hatte ihm die Augen geöffnet und den einzig wahren Gott gezeigt.

„Wag es nicht an Norbert zu zweifeln“, ermahnte ihn Traudl mit einem Lächeln.

„Er ist hier.“

Sie starrte in die Dunkelheit, so als ob sie die bloße Anwesenheit der Kreatur spürte. Rainer blickte herum, doch er konnte nichts erkennen. Das Wesen hatte sie schon längst bemerkt und beobachtete die Gruppe der Eindringlinge aus der Ferne. Sie stiegen tiefer hinab in die Höhle, bis die Magierin sie zum Halten aufforderte. Nervös blickten sich die Männer um, alle spürten die Gefahr, doch keiner konnte es einordnen. Ein tiefes Brüllen erschütterte die Höhle und vereinzelte Steine lösten sich von der Decke. Ängstlich wichen die Soldaten zurück.

„Linie halten!“, grölte Rainer, der versuchte die Männer bei Disziplin zu halten.

Er schaute zur Magierin, die ihre Augen geschlossen hatte und finster lächelte.

Wer wagt es, mein Königreich zu betreten

In ihrem Kopf hallte die Sprache des Wesens wieder. Die Magierin erkannte seine Aura und ja, er war es.

„Die Zauberin Traudl, Dienerin des einzig wahren Gottes und dessen Kinder“, rief sie in die Dunkelheit.

Etwas näherte sich und jedes Mal, wenn die goldschimmernde Tatze auf den Boden knallte, erbebte die Höhle. Die gefangenen Frauen schrieen auf, als das goldene Wesen ins Licht trat. Die glutroten Augen musterten die Anwesenden und winzige Flammen stiegen aus den Öffnungen der Nase empor. Der Drache baute sich machtvoll vor den kleinen Menschen auf, die förmlich vor Angst rochen.

Was willst du, Mensch?

Die Stimme in ihrem Kopf wurde lauter. Traudl öffnete die Augen und betrachtete die gesamte Herrlichkeit des jungen Kaiserdrachen. Die goldenen Schuppen reflektierten das Licht in allen erdenklichen Farben, welche die Höhle erhellten.

„Sohn des Fürsten, Herr des Feuers", sprach die Magierin und kniete sich ehrwürdig vor dem Drachen hin.

„Ich erzittere vor deiner Macht."

Kaiserdrachen waren eitle Geschöpfe, sie mochten es gepriesen zu werden, so war es auch schon damals bei Emanuel.

„Unser Herr schickt mich, dich zu finden, damit wir ihn gemeinsam aus seinem Verließ befreien können."

Der Drache brüllte erneut und Traudl wusste exakt, was es bedeutete. Schon bald, würde ihr Meister wieder über diese Sphäre herrschen und mit ihm fielen die Zwölf. Ein Zittern erfasste ihren Körper, jedoch nicht aus Angst, sondern vor freudiger Erwartung, den falschen Glauben endlich zu zerschlagen.

Kapitel 9

Blutdurst

Vereinzelte Schweißperlen glitten an seiner Stirn hinab, während er aus dem Raum spähte. Offensichtlich hatte niemand die Rangelei bemerkt, oder lauerte draußen auf ihn. Mit gezogenem Schwert schlich er durch den Korridor und arbeitete sich zur verschlossenen Tür vor. An der Ecke lugte er kurz herum. Die Tür stand offen, welch ein Segen.

Hinter der Tür verbarg sich eine steile Wendeltreppe, die von keiner Fackel erleuchtet wurde. Leise und mit dem Schwert vor sich zeigend stieg er hinab in die Dunkelheit.

Nur das Geräusch dessen Bewegungen, drang an sein Ohr. Tastend glitt seine Hand mit jedem Schritt über die kalte Wand. Langsam aber sicher wurde es heller und er erkannte die schwachen Umrisse der Stufen. Als er endlich den Boden der Treppe erreichte, blicke er auf der gegenüberliegenden Wand eines neun Korridors, auf eine schwere Eisentür. Links und rechts gingen wieder Gänge ab, die zu weiteren Räumen führen würden.

Bevor er entscheiden konnte, welche Richtung er nehmen sollte, da drang ein männlicher Schrei an sein Ohr. Birger! Lucas rannte dorthin, von der er glaubte, dass der Ruf kam. Ohne Rücksicht, ob er durch seine schweren Schritte weitere Wachen auf sich aufmerksam macht, eilte er auf die nächste Tür zu und warf sie auf. Die kleine Kammer war schwach erleuchtet und an der Wand hing Birger, die Hände und Beine mit schweren Ketten gefesselt. Der freie Oberkörper war durchzogen von tiefen Wunden, aus denen das Blut an ihm hinab floß. Auf dem Tisch neben ihm lagen die Folterwerkzeuge. Der hagere Mann hielt eine eiserne Stange in der Hand, deren Spitze rot glühte und eine bedrohliche Hitze ausstrahlte. Mit einem zerschundenen Gesicht, welches ein dunkles blaues Auge aufwies, musterte er Lucas.

„Was beim..“

Er kam nicht dazu, den Satz zu beenden, denn das Schwert schnitt ihm die Luft in der Kehle ab. Nach Hilfe röchelnd sank er zu Boden, während die Eisenstange scheppernd auf den Stein knallte.

Eilige schloss Lucas die Tür, um ein wenig Schutz vor weiteren Wachen zu erhalten. Der Krieger an der Wand schaute ihn mit einem erschöpften Blick an.

Sein Atem war schwer und er war kaum in der Lage ein Wort zu sagen. Lucas löste die eisernen Fesseln mit dem Schlüssel, der neben den Folterwerkzeugen lag und half Birger, sich einen Moment auszuruhen.

„Wir.. müssen die ... Geweihte finden“, stöhnte er irgendwann benommen vor sich hin.

Lucas war gerade dabei, so gut es ging seine Wunden zu verbinden. In so einer Situation noch an ihre Aufgabe zu denken war töricht.

„Erstmal sehen wir zu, dass wir hier leben raus kommen“, konterte er dem Krieger, der anscheinend ihre Situation noch nicht richtig verstanden hatte.

Kaum hatte der junge Ritter die offenen Wunden notdürftig gesäubert, da richtete sich der Krieger auf, und ging taumelnd auf die Tür zu.

„He, du musst dich erst mal ausruhen“, fuhr Lucas ihn an und hielt mit der rechten Hand die Tür zu.

Birger schüttelte nur den Kopf, sein Atem war immer noch sehr schwer.

„Natascha“, sagte er mit kaum vernehmlicher Stimme.

Der junge Söldner verstand sofort, dass Birger sich um sie sorgte. Er nahm die Hand von der Tür und gab dem Krieger den kleinen Dolch. Als beide bereit waren, öffneten sie vorsichtig die Tür und traten in den Gang.

Kein Ton drang an ihr Ohr, als sie begannen, jede einzelne Tür zu überprüfen, doch zwei der drei weiteren Räume ließen sich nicht öffnen. Die dritte Tür hingegen benötigte keinen Schlüssel. Knarrend öffnete sie sich und gab Einblick in eine Art Studierzimmer. Hohe Bücherregale zierten die Wände, und ein großer Holztisch war in der Mitte platziert, auf der eine Statue des namenlosen Gottes stand. Lucas spähte weiter in den Raum und sah eine kleine dickliche Gestalt, die auf einem Stuhl schlief. Die zerzausten und versenkten Haare des Bartes zuckten unruhig zu den Bewegungen des Brustkorbes. Auf dem Schoß entdeckte Lucas seinen Rabenschnabel, auf der wachend eine Hand lag. Hinter ihm an der Wand erkannte der Söldner verschiedenste Gegenstände, unter anderem Birgers Sachen und einen Augsburger, der aus der Menge hervorstach. Daneben war eine kleine Tür in die Wand eingelassen. Wenn sie es schafften, den Mann zu überraschen, könnten sie Birgers Sachen nehmen und somit ihre Chancen auf Erfolg erhöhen. Lucas gab dem Krieger ein Zeichen, während sie leise in die Bibliothek eintraten.

Behutsam näherte sich der Söldner dem schlafenden Mann, dessen Schnarchen langsam lauter wurde. Der Mann roch übel und könnte durchaus ein Bad vertragen. Lucas streckte eine Hand aus und näherte sich Richtung des Rabenschnabels.

Eine plötzliche Bewegung des Mannes und Lucas spürte einen heftigen Schlag gegen seinen Kopf. Der Helm dämpfte jenen etwas ab, aber der junge Söldner wurde zu Boden geworfen und er spürte eine warme Flüssigkeit seine Schläfe hinunterlaufen. Benommen tastete er nach dem Schwert, das irgendwo neben ihm lag.

„Harharhar, dachtest du ich merk es nicht Bursche?“

Die tiefe Stimme des Mannes hallte durch das Zimmer und bedrohlich baute er sich auf. Birger hielt schützend den Dolch vor sich, auch wenn er wusste, dass er nur wenig damit bewirken könnte.

„Lass´ den Dolch fallen“, rief eine weibliche Stimme.

Wie aus dem Nichts erschien eine purpurne Gestalt, die sich langsam Birger näherte. Sie ließ die Kapuze fallen und ihr entstelltes Gesicht kam zum Vorschein. Der Mann hob den Hammer und ließ ihn machtvoll niederfahren. Erst im letzten Moment schaffte es Lucas sich zur Seite zu Rollen. Als er sich erhob und das Schwert zitternd auf den Angreifer richtete, grinste dieser nur schmierig.

„Lass dich doch einfach von mir zermatschen Bursche, geht schneller“, lachte er.

Eigentlich hatte Lucas mit dem Schwert einen Vorteil, doch der Hieb vorhin hatte deutliche Spuren hinterlassen. Seine Sinne waren benebelt und ein unerklärliches Zittern hatte den Arm erfasst. Nur mit Mühe vermochte er das Schwert halbwegs zu stemmen. Unterdessen schritt die Geweihte näher an den jungen Krieger heran, der sich kaum auf den Beinen halten konnte. Seine Augen blickten jedoch hasserfüllt auf die Frau, und das Verlangen den Dolch in ihre Kehle zu rammen war nur allzu deutlich sichtbar.

„Ich kann deinen Hass riechen“, deutete sie höhnisch an.

Das lange Gewand schwebte über den Boden und ihre Präsenz war so erdrückend, dass Birger glaubte, er würde gleich ohnmächtig werden. Der Dolch wurde schwerer in seiner Hand und wie in Trance schwankte er leicht hin und her.

„Knie vor mir und ich vergebe dir.“

Behutsam schob sie den Arm beiseite und legte die Hand auf seine Schulter.

„Knie und ich gebe dir die Hexe zurück.“

Wie ein Befehl hallten diese Worte im Kopf wieder. Knie. Es wurde zunehmend schwarz vor seinen Augen. Schwer und kaum zu einem klaren Gedanken fähig, fiel er auf das linke Bein.

„Gut“, hörte er noch und spürte Hände, die sein Gesicht berührten.

Lucas hatte Mühe dem Hammer auszuweichen. Zwar besaß er eine Rüstung, doch der Rabenschnabel war dafür gemacht, gepanzerte Gegner zu durchschlagen. Der Schmerz in seinem rechten Arm, war mittlerweile so groß, dass er die Hiebe kaum noch blocken konnte. Der Mann hatte ihn in die Ecke gezwungen, ein Ort, wo er dem Hammer kaum auszuweichen vermochte. Egal, in welche Richtung er sich bog, der Gegenstand würde ihn auf jeden Fall treffen. Der Mann grinste und holte zum letzten Schlag aus. Lucas sah schon, wie der Hammer seine Brustplatte durchschlagen würde.

Er ließ alle Gedanken gehen und konzentrierte sich nur auf den Hieb. Wie von einer unsichtbaren Hand gelenkt, warf er das Schwert nach vorne. Der Mann sah, wie die Linke von

Lucas hervorschnellte. Anstatt einen Schritt nach hinten, so wie üblich, näherte sich der junge Söldner dem Mann und lief in die Waffe. Das Schwert fing er in der Luft und stach gezielt zu, während das Holz des Rabenschnabels gegen Lucass Schulter schlug.

Er war dadurch der Wucht des Hammers entgangen und mit großen Augen betrachtete der Angreifer das Schwert, dessen Spitze in seinem Oberarm steckte. Augenblicklich fiel das tödliche Werkzeug zu Boden und der Mann hielt die verwundete Stelle, aus der langsam das Blut emporstieg. Lucas nutzte diesen Moment der Verwirrung und holte aus. Die eiserne Schiene schlug hart gegen die Weichteile des Mannes und stöhnend fiel er zu Boden. Dies war zugegebener Maßen nicht sehr edel von ihm, aber effektiv. Keuchend hob er den Rabenschnabel auf und eilte zu Birger. Die Geweihte hatte die Hände über den Kopf gelegt und versuchte anscheinend irgendwie seinen Geist zu beeinflussen. Als er Lucas seinen Namen rufen hörte, riss er die Augen auf. Der Dolch schnellte hoch und machtvoll rammte Birger ihn in den Fuß der Geweihten.

Ein Schrei zerriss die kurze Stille und bevor jene irgendwas sagen konnte, schlug der Krieger ihr sein Kopf gegen das Kinn. Zähne und Blut flogen in einem hohen Bogen durch die Luft. Kaum auf dem Boden aufgeschlagen, kniete sich der Krieger über die Geweihte, sein Blick war so eiskalt, wie Lucas es noch nie gesehen hatte. Wie ein Barbar schlug er auf sie ein. Das Gesicht gab unter der Wucht der Schläge nach und verformte sich, doch das einzige was nicht verschwand, war das Lächeln der Geweihten. Lucas stürmte zu Birger und zog ihn von der Frau runter.

„Das reicht!“, plärrte er seinem Freund entgegen.

Dieser wehrte sich heftig, doch erkannte er bald, dass die Frau ihnen tot nichts nutzte. Widerwillig ging er zu seinen Sachen, und fing an sich anzuziehen. Lucas betrachtete die Geweihte, die grinsend auf dem Boden lag. Er umschloss das Schwert und hielt die Spitze an ihre Kehle.

„Wo ist unsere Gefährtin? Und für euer Wohl will ich hoffen, dass sie wohl auf ist“, forderte er ernst, wobei er immer noch etwas benommen von den Anstrengungen war. Die Geweihte kicherte leise.

„Gleich hinter der Tür“, riet sie, wobei er ihr ansah, dass ihr jede Bewegung schmerzte.

Ihr grinsen verschwand, als Birger mit dem Augsburger neben Lucas auftauchte. Verwundert blickte der junge Söldner ihn an.

„Was willst du damit?“, fragte ihn unser Ritter, der keinen Sinn darin sah.

„Wir binden sie daran fest, dann kann sie nicht so schnell abhauen“, schlug er vor und zeigte Lucas das Seil, das er in der anderen Hand hielt.

„Und das Eisen hindert sie an irgendwelchen Zaubern.“

Der Söldner atmete durch. Im ersten Moment hatte er befürchtet, dass er sie erschlagen wollte. Doch diese Idee war ideal. Durch das zusätzliche Gewicht war eine Flucht nahezu unmöglich und sie könnten das Schwert später wieder Gewinn bringend verkaufen.

„Geh und hol Natascha, ich will hier weg", trug er dem Söldner auf und machte sich daran die Geweihte zu fesseln und zu knebeln.

Lucas stapfte auf die schwere Tür zu. Die Scharniere quietschten, als er die Tür öffnete. Im Licht der kleinen Fackel ging er einen schmalen Gang entlang, an dessen Ende er ein Bett erkennen konnte.

Er freute sich schon, endlich wieder nach Salzburg zurückkehren zu können, zur Schmiede und zu Sophia, vor allem ihr Lachen vermisste er und den Duft ihrer Haare. Langsam näherte er sich dem Raum, in dem ein paar leere Kisten standen, doch von Natascha keine Spur. Lucas drehte sich um und wollte wieder in die Halle zurückkehren, als er sie endlich fand. Zusammengekauert lag sie hinter einem Fass versteckt.

„Da bist du..."

Lucas hielt inne, als er näher kam. Er sah das zerrissene Laibchen und den geschundenen Körper, der von tiefen Schnitten und Wunden, übersäht war. Die Finger wiesen in eine unnatürliche Richtung. Das Gesicht fahl und weiß. Die Augen blickten ihn anklagend an. Sie gab weder einen Ton von sich, noch hob oder senkte sich ihre Brust. Wie vom Blitz getroffen stand Lucas da und konnte die Situation kaum verstehen. Tränen rannen dessen Wangen runter, als er sich nun über sie beugte und seinen Umhang über ihren entblößten Körper warf. Niemand sollte sie in diesem Zustand sehen.

„Wo bleibt ihr denn?“, rief Birger, der ungeduldig vor der Tür wartete.

Schnell wischte sich der Söldner die Tränen aus dem Gesicht und versuchte seine momentane Trauer zu überspielen. Langsam ging er zurück zum Arbeitszimmer.

„Wo ist Natascha?“, fragte Birger, als er Lucas´ Gesicht im fahlen Licht erkannte.

„Nicht hie“, antwortete er schnell und wich dabei dem Blick des Kriegers aus.

Birger hatte bereits seine Rüstung wieder angezogen und baute sich vor Lucas auf, der im Türrahmen stehen blieb.

„Wo ist sie“, wiederholte er mit ernster Stimme.

Lucas konnte es ihm einfach nicht sagen.

„Bitte geh nicht.“

Birger sah, wie Lucas´ Augen wässrig wurden und instinktiv packte er nach dessen Kragen und schob ihn beiseite. Wütend stapfte er in die Dunkelheit und rief ihren Namen.

Lucas lehnte sich an die Wand, die Trauer war zu groß. Schon wieder hatte eine Gefährtin verloren und das Schlimmste war diesmal, dass es seine Schuld war. Hätte er sich schneller befreit, hätte er alle retten können. Mutlos und mit tränenden Augen sank er auf die Knie, während ein tiefer Schrei durch den Bau hallte. Als Birger aus der Tür schnellte, hielt er den leblosen Körper von Natascha im Arm. Sein Gesicht war nicht wieder zu erkennen, eine Mischung aus Wut, Hass, Zorn und Trauer. Wie einen kostbaren Schatz ließ er den Körper zu Boden sinken.

Behutsam legte Lucas die Hand auf seine Schulter, denn er konnte den Schmerz nachempfinden, auch er hatte sich so gefühlt, als er die Halbelfe verloren hatte. Birger schlug die Hand weg und blickte auf die Gefangenen. Lucas erkannte sofort, was er im Sinn hatte. Schnell baute er sich vor Birger auf und versperrte ihm den Weg, der zornig ihm hochsah.

„Ich weiß, was du empfindest, aber das dürfen wir nicht, Birger“, murmelte er traurig, aber dennoch bestimmend.

Bevor er reagieren konnte, packte ihn der Krieger an der Kehle und baute sich bedrohlich vor unserem Ritter auf.

„Nenn mich nie wieder so“, fauchte der Krieger ihn an, dann warf er Lucas zur Seite auf den Boden.

Wie ein wildes Tier blickte sich Birger um und der dickliche Angreifer, gegen den Lucas gekämpft hatte, war gerade erst zu sich gekommen. Mit schweren Schritten eilte der Krieger auf ihn zu. Eine Aura umgab ihn etwas Dunkles, Bedrohliches und es schien so, als ob die Anwesenden sein Verlangen nach Rache spüren konnten, ein dunkles Auge der Vergeltung.

Verzweifelt versuchte der Mann zu fliehen, doch es half nichts. Der Krieger packte den Mann und schlug mehrmals zu. Mit jedem Schlag wurden die Hilfeschreie des Kerls leiser und mit weiteren Hits begann die Rüstung des Kriegers mehr und mehr zu glühen. Lucas war bewusst, dass er etwas tun sollte, doch auch er verspürte das Verlangen nach Rache und ihre Aufgabe bezog sich nur darauf die Geweihte lebend zu ergreifen.

So ließ er Birger gewähren, teils aus Mitgefühl, teils aus Angst selbst Opfer jenes Monsters zu werden. Er hatte ihm damals auch dessen Rache gewährt und so war es als Freund nur gerecht, ihm dies ebenfalls zu erlauben. Als Birger endlich wieder bei Sinnen war, erhob er sich von seinem Opfer. Das Gesicht war blutverschmiert und die Rüstung verströmte eine unnatürliche Wärme. Lucas blickte ihn traurig an. Der Krieger ignorierte diesen Blick und packte nur die Geweihte. Dann ging er auf die Tür zu und verließ den Raum. Die Tränen aus den Augen reibend erhob sich der junge Söldner und steckte den Rabenschnabel zurück. Behutsam hob er Nataschas leblosen Körper auf. Sie war kalt und ihre Augen geschlossen, nie wird er den anklagenden Blick vergessen.

„Verzeih mir“, flüsterte er zu ihr, in der Hoffnung dadurch ein reineres Gewissen zu bekommen, danach folgte er langsam dem Krieger nach draußen.

Mit dem Holz aus dem Bau des Geweihten hatte Lucas einen kleinen Haufen errichtet, um Natascha wenigstens eine angemessene Bestattung zu ermöglichen. Kaum war er fertig, legte der Krieger ihren Leichnam auf das Holz. Lucas sah, wie er ihre Lippen berührte und Tränen seine Wange hinunter liefen. Kein Wort wurde gesprochen, kein Gesang ertönte, als die Flammen höher schlugen, nur eine kleine Schneeeule beobachtete sie traurig, und den Körper, der in den Flammen verschwand.

„Es ist meine Schuld“, durchbrach der junge Ritter irgendwann die Stille.

Der Krieger schaute nur ernst in die Flammen und Lucas wusste, dass es so war. Hätte er sich doch bloß früher befreit. Wieder war er den Tränen nahe.

„Ich hätte sie retten können."

Der Krieger blickte ihm in die Augen und Lucas sah den Zorn darin.

„Halt den Mund", pfiff er und wand sich erneut dem Feuer zu.

Nachts wurde Lucas von Albträumen geplagt, immer wieder sah er Nataschas Gesicht vor sich, die leblosen Augen. Er flehte zu den Göttern, dass all dies nur ein böser Traum war, doch als er am nächsten Morgen erwachte, merkte er, dass keiner der derer antwortete. Als die drei Gestalten sich den Toren von Salzburg näherten, blickten die Wachen verdutzt drein. Zwei junge Krieger und eine Frau mit entstelltem Gesicht mit purpurner Robe standen vor ihnen. Die Frau mit der Robe war geknebelt und mit den Händen an einen Augsburger gebunden. Sie wirkte erschöpft und als einzige nicht gerade Glücklich über ihre derzeitige Situation.

„Ähm,... Zwölf zum Gruße?", fragte sie nun einer der Wachen.

Er hatte bis jetzt noch nie eine solche Reisegruppe gesehen. Die Männer nickten, der jüngere der beiden traurig, der andere ernst.

„Kann man euch irgendwie helfen?“

Zwei weitere Wachsoldaten näherten sich mit gezogenen Waffen.

„Wir sind im Auftrag der Götter unterwegs und sollen in Salzburg diese Geweihte des Namenlosen abliefern“, erklärte Lucas traurig.

Der Wachsoldat hatte davon gehört. Sie waren angewiesen die Personen zu ihrem Ziel zu eskortieren.

„Ach ja, wir werden euch unterstützen“, fügte er schnell an und versuchte vier kampferfahrene Soldaten für diese Aufgabe zu suchen.

Es dauerte eine Weile, da niemand mit einer so späten Ankunft gerechnet hatte, doch letztendlich ließen sich vier Männer finden, deren Rang genügte. Unter den verächtlichen Augen der umherstreifenden Bürger, die aus den Schenken taumelten. Die Soldaten hingegen würdigten der Geweihten keines Blickes. Für sie war es bereits Routine und sie kannten auch schon den Weg zum Anwesen auswendig. Gedankenverloren stapfte Lucas ihnen hinterher. Eigentlich wollte er nur so schnell wie möglich zurück zur Schmiede und diese Reise vergessen. Beim Anwesen der Rat der Drei erwarteten sie schon die Geweihten mit einem freundlichen Lächeln, außer der Praiosgeweihte, der nur respektvoll den Kopf senkte. Der Krieger blickte nur starr ins Leere und die ganze Reise über hatte er kein Wort mit Lucas gewechselt, sondern sich immer mehr zurückgezogen.

„Wir hatten nicht mehr mit euch gerechnet“, bestätigte der Zwerg Felix, der noch sein Nachthemd trug.

„Aber wie ich sehe, habt ihr eure Aufgabe erfolgreich beendet.“

Der Praiosgeweihte trat vor und blickte auf die Gefangene, deren Gesicht erschöpft und schmerzverzerrt war. Keiner der beiden hatte ihre Wunden versorgt, zum einen lautete ihre Aufgabe die Geweihte lebend zurückzubringen, aber niemand hatte ihnen gesagt in welchem Zustand.

„Bringt sie in die Befragungszelle“, trug er den vier Soldaten auf, die ohne Widerworte seinen Befehlen folge leisteten.

Er wollte keine Zeit verlieren, denn die Frau könnte wichtige Informationen preisgeben. Die geweihte Kerstin legte ihre Faust auf die Brust und verbeugte sich leicht, dann blickte sie beide Männer respektvoll an.

„Ihr habt eure Aufgabe zu vollster Zufriedenheit gelöst. Geht nun und ruht euch aus.“

Sie wollte noch weiterreden, als Birger sich auf der Stelle drehte, und Anstalten machte das Gelände zu verlassen. Verwirrt von diesem respektlosen Verhalten musterten die Autoritäten den jungen Krieger, der wortlos durch das Tor in die Dunkelheit ging.

„Verzeiht bitte sein Verhalten. Erläuterte Lucas schnell und verbeugte sich tief.

E war untypisch für seinen Freund. Er war schweigsam, ja, doch nie hatte er einer Autoritätsperson gegenüber keinen Respekt entgegengebracht. Lucas nahm an, dass er immer noch tief getroffen von dem Verlust war und das er so schnell wie möglich weg von ihm kommen wollte, denn immerhin war er schuld, dass Natascha nicht überlebt hat.

„Wir werden morgen Mittag weiter darüber reden“, fuhr Kerstin schließlich fort.

„Geh´, erhol dich erst einmal.“

Mit diesen Worten entfernten sich die Geweihten und Lucas eilte seinem Freund hinterher, aber als er auf die Straße trat und sich umblickte, war von dem Krieger keine Spur. Mutlos und in Gedanken vertieft, machte er sich somit auf den Weg zur Schmiede.

Er dachte an Sophia und ihre lieblichen Haare. In seiner Nase konnte er schon den Ruß und den Stahl der Schmiede spüren. Sein Gang beschleunigte sich. Er schmeckte bereits das warme Essen, hörte den Gesang. Außer Atem erreichte er das, wonach er sich gerade am meisten sehnte, sein Zuhause. Der Schnee lag schwer auf dem Dach der Schmiede und tauchte alles in einen weißen Schein. Nur der kleine Weg, der zur Tür führte, war freigeschaufelt. Lucas strich über das Holz der Tür, denn lange hatte er sich danach gesehnt wieder zurückzukehren. Er versuchte, die Tür zu öffnen, doch zu seinem Bedauern musste er feststellen, dass sie verschlossen war. Behutsam klopfte Lucas an, doch nichts regte sich. Langsam aber sicher wurde ihm kälter und das Wasser drang in seinen Schuh ein. Er pochte lauter gegen die Tür und schon bald hörte er kurze Beine die Treppe hinunter stapfen. Gregor riss die Tür auf, den Schmiedehammer bedrohlich über den Kopf erhoben, nur in seinem Leinengewand und dicken Wollsocken gekleidet.

„Bei Angrosch, was wollt ihr?“, fuhr ihn der Zwerg grimmig mit verschlafener Miene an.

Die halb geschlossenen Augen betrachteten den jungen Lucas, der zitternd vor der Tür stand. „Ach du“, murmelte Gregor und stapfte davon.

Der junge Ritter trat ein und schloss die Tür gleich wieder. Der Zwerg beachtete ihn nicht weiter, sondern war bereits zurück auf dem Weg zu seinem gemütlichen Bett.

Lucas befreite sich aus den nassen Schuhen und legte die Rüstung ab.

„Wer war das?“, fragte eine weibliche, verschlafene Stimme.

Gregor grummelte Lucas´ Namen vor sich hin und gleich darauf rannte Sophia die Treppe hinunter.

Sie blickte erleichtert in sein erschöpftes Gesicht. Der Junge lächelte sie an, bewunderte ihre Schönheit und ging ein paar Schritte auf sie zu.

„Ich habe dich so vermisst“, gestand sie und fiel ihm sogleich um den Hals.

Behutsam legte er die Arme um sie. Ja, das hatte er auch.

Eng drückte er sie an sich. Spürte ihren warmen Körper durch die Kleidung.

„Komm´“, flüsterte Sophia und löste sich von ihm.

Er blickte sie aus glücklichen, doch gleichzeitig traurigen Lächeln an.

„Du wirkst so bedrückt.“

Lucas schüttelte den Kopf.

„Es ist nichts."

Er wollte Sophia damit nicht belasten, sondern endlich einmal wieder beruhigt schlafen.

Diese zog ihn hinter sich her ins gemeinsame Schlafzimmer, in dem die übliche Unordnung herrschte. Schnell huschte sie unter die Decke und beobachtete Lucas aufmerksam, der gerade dabei war sein Hemd auszuziehen. Als er auf das Bett zuging, richtete sich Sophia etwas auf und blickte ihm tief in die Augen.

„Hast du mich vermisst?", fragte sie ihn neugierig.

Lucas brachte das Gesicht näher an das ihre und küsste sie.

„Ja das habe ich", hauchte er ihn entgegen.

Mit verführerischen Augen glitt ihre Hand über die Muskeln seines Bauches. „Wo wir schon mal wach sind...", begann sie und öffnete ein wenig die Decke.

Lucas verstand sofort und ergriff ihre Hand. Freudig hob sie den Kopf, doch anstelle eines Kusses schaute er sie bedrückt an.

„Verzeih´, aber ich denke ich bin zu erschöpft“, erklärte er und strich ihr durch das rote Haar.

Mit dieser Antwort hatte Sophia, um ehrlich zu sein, nicht gerechnet, denn normalerweise schlug ihr Liebster eine solche Verführung nie ab, egal wie spät es war.

„Was ist denn los mit dir?“

Lucas seufzte und setzte sich neben ihr hin.

„Nichts, ich bin nur erschöpft“, erwiderte er.

Empört darüber, dass er ihr offensichtlich eine Lüge auftischte, drehte sie ihm den Rücken zu und legte sich ins Bett.

„Dann mach doch, was du willst“, grummelte sie.

Sie spürte, wie Lucas langsam die Decke hob und sich dicht zu ihr kuschelte. Seine rechte Hand legte er behutsam auf ihren Bauch und zog sie näher an sich, so lag sie da, bis sie hörte, dass sein Atem leiser und flacher wurde. Unruhig wälzte er sich hin und her und gab Sophia keine Möglichkeit einzuschlafen und um ehrlich zu sein, konnte sie das auch nicht. Sie war immer noch sauer wegen dem Verhalten ihres Liebsten, der irgendwas im Schlaf vor sich hin murmelte. Mittlerweile hatte er fast das gesamte Bett eingenommen und Sophia kauerte sich dicht an ihm unter die kleine Decke. Mit der Zeit verflog der Ärger und sie verstand, dass es Dinge gab, über die er vielleicht zurzeit nicht reden wollte. Dem Arm um ihn legend genoss sie die Nähe seines warmen Körpers. Fast zwei Götternamen waren sie unterwegs gewesen und nun endlich war er wieder bei ihr. Mit der Zeit fände er erneut zu sich selbst finden und morgen würde er sich besser fühlen. Mit diesen Gedanken schloss sie die Augen und lauschte dem Schlag seines Herzens.

„Natascha….", murmelte Lucas im Schlaf vor sich hin und Sophia riss die Augen auf.

Hatte sie gerade richtig gehört? Verwundert hob sie den Blick und lauschte. Doch nur noch unverständliche Sätze drangen an ihr Ohr. Sie setzte sich auf Lucas´ Oberschenkel und legte den Kopf auf seine Brust. Vielleicht hatte sie sich auch verhört, doch als der Junge erneut jenen Namen rief, konnte sie nicht anders und in Gedanken schossen tausend Bilder umher, wer diese Natascha war. Die Ohrfeige traf den jungen Mann mitten in die Visage und erschrocken riss er die Augen auf. Unverständlich blickte er in Sophias Gesicht, die ihn zornig anschaute, aber bevor er nach dem Grund fragen konnte, stieß sie nur hervor.

„Wer ist Natascha?"

Lucas Augen weiteten sich und er wand den Blick ab und Sophia packte die Eifersucht, denn sie wusste von dessen Liebesgeschichten und den Mädchen, die er damals verführt hatte. Wütend hämmerte sie ihm auf die Brust.

„Du bist ein Schwein", rief sie.

Sie wollte aufspringen und das Zimmer verlassen, doch er hinderte sie daran.

„Hör´ mir bitte zu", bat er leise, doch Sophia bockte.

Sie war viel zu aufgebracht und brüllte ihn an, sie endlich loszulassen. Die Tür flog auf und die Zwergin musterte die beiden grimmig.

„Egal, was ihr da gerade macht…“, deutete sie in einem unmissverständlichen Tonfall an. „.. macht es leise!“

Sophia entschuldigte sich und die Zwergin entfernte sich wieder mit wütenden Schritten. Lucas hinderte die Liebe daran, im kurzen Moment der Verwirrung davon zu stürmen. Sie würdigte ihm keines Blickes.

„Schau´ mich bitte an“, forderte er traurig.

Sophia weigerte sich, doch als Lucas ihr von Natascha erzählte, der Rettung im Sturm, der Hilfe in Großgmain und von Birgers merkwürdigem Verhalten, merkte sie, dass sie überreagiert hatte und als er ihr von der Geweihten des Namenlosen erzählte, dem Tod von Natascha, blickte sie ihn mitleidig an. Sie erkannte, dass dessen Trauer nicht auf eine untreue Liebesnacht zurückzuführen war, sondern weil er sich die Schuld für ihren Tod gab. Tränen liefen seine Wangen hinab, denn sie war bereits die zweite Person, für dessen Tod er sich verantwortlich fühlte. Sophia legte ihren Kopf auf seine Brust und die Arme um ihn. Sie spürte, wie er sie fest an sich drückte.

„Es war nicht deine Schuld“, meinte sie nach einer Weile und brachte ihr Gesicht ganz nah an das seine.

„Du hast getan was du konntest.“

Mit dem Ärmel wischte sie ihm die Tränen aus dem Gesicht. Lange lagen Beide Arm in Arm im Bett, bis die ersten Strahlen der Praiosscheibe durch das Fenster schien. Lucas strich über das Haar seiner Geliebten, weil sie war für ihn da, wenn er sie brauchte, Sophia gab ihm Trost und schenkte ihm neue Hoffnung. Als sie verschlafen ihren Kopf hob, blickte sie in dessen muntere Augen und es folgte ein hingebungsvoller Kuss, auf den sie gar nicht richtig vorbereitet war. Sie merkte, wie seine Hände langsam an ihrem Rücken entlang glitten und er unter der Decke ihr Laibchen hochzog. Ein heftiges Pochen an der Tür ließ beide aufschrecken und von der anderen Seite rief Gregor:

„Aufstehen, anziehen, arbeiten!“

Daraufhin stapfte der Zwerg nach unten in die Schmiede. Grummelnd ließ Sophia den Kopf auf des Ritters Brust fallen, erhob sich und zog sich langsam an. Der Junge ließ seinen Blick auf ihre weiblichen Rundungen sinken und bevor Sophia zur Tür eilte, beugte sie sich über Lucas und küsste ihn.

„Ich habe heute Abend eine Überraschung für dich“, frohlockte sie und dann ging fröhlich zur Tür.

Lucas sah ihr lange nach, mit einem leichten Lächeln, das nichts mehr von der gestrigen Traurigkeit besaß. Langsam schlenderte er zu dem Anwesen des Rates, bei dem er heute seinen Bericht abliefern sollte. Eigentlich erwarteten sie ihn erst gegen Mittag, doch er hoffte, Birger anzutreffen, um mit ihm reden zu können. Vor dem Anwesen auf einem kleinen Übungsplatz beobachtete er einige der jungen Kadetten, die gerade simple Schlagabfolgen trainierten. Viele der Knaben und Mädchen übten mit einfachen Holzschwertern, denn das Führen einer echten Waffe war ihnen noch nicht gestattet. Für einige Zeit lauschte er dem

Schlagabtausch der hölzernen Stöcke und den tadelnden Rufen der Ausbilder.

„Ihr seid früh", hörte er die Stimme Kerstins hinter sich.

Sie war in einen dicken roten Umhang gehüllt, der ihr bis zu den Stiefeln reichte.

„Ich sehe du bewunderst unsere neuen Talente", fügte sie hinzu und stellte sich neben ihn an den einfachen Holzzaun.

Ja, manche sind äußerst talentiert", bemerkte Lucas, der ein junges Mädchen beobachtete, die anmutig einen Schwerttanz zu ehren Fatimas vollzog.

„Das ist Rosinia", freute sich die Geweihte stolz.

„Mein persönlicher Schützling und die beste Kämpferin, die diese Akademie je hervorgebracht hat."

Lucas staunte nicht schlecht, vor allem, da das Mädchen sehr jung wirkte.

„Aber komm´, deswegen bist du nicht hier, denke ich."

Kerstin entfernte sich ein wenig und bedachte Lucas ihr zu folgen. Jetzt folgte die schwierige Aufgabe, den Geweihten zu berichten, was sich während der Zeit zugetragen hatte. Er würde ihnen alles erzählen müssen, von der Magierin Traudl, Natascha und dem Bau. Sich tiefer in seinen Mantel vergrabend stapfte Lucas hinter ihr her, aber eins würde er jedoch verschweigen: Birgers unbändige Wut und der Hass, der irgendwo tief in ihm schlummerte.

Sophia war heute früher mit der Arbeit fertig geworden und eilte durch die vollen Straßen. Der kalte Wind blies durch die Nischen der Häuser und das Mädchen schnürte den Schal enger um den Hals. Die wenigen Bettler, die am Rand der Straße auf und ab gingen, versuchten, sich irgendwie warm zu halten und hier und da ein paar Münzen zu erbetteln. Auf dem Weg boten einige Händler warme Esskastanien und Tee, für die frierenden Menschen an. Ein wohltuender Duft umschmeichelte ihre Nase und ihr Magen knurrte. Sie hatte bisher nur eine mickrige Scheibe Brot mit Käse gegessen, jedoch sie hatte nicht umsonst gehungert. Heute Abend würde sie für Lucas kochen, als Überraschung, Christopher hatte ihr ein paar saftige Scheiben Fleisch besorgt und ihr über die letzten Siebenspanne beigebracht, diese zuzubereiten. In dem kleinen Korb, den Sophia mit sich führte, lag schon die Flasche Wein, die sie zuvor bei dem Händler Paul gekauft hatte. Der Wein war zwar kein besonders edler Tropfen, doch er würde Lucas und ihr schmecken. Jetzt galt es noch das Wichtigste für den heutigen Abend abzuholen. Das Kleid, das sie extra hatte anfertigen lassen.

Die niedliche Nähstube war für Fremde kaum zu entdecken, da nur ein kleines Schild an der Wand darauf hinwies. Der Laden war schon immer ein Familienbetrieb gewesen und ging von den Eltern an deren Kinder über. Bekannt war er für die klassischen Muster und für seine niedrigen Preise, weswegen er bei den nicht so gut betuchten Bürgern sehr geschätzt wurde. Sophia öffnete die alte Eichentür und mit einem Klingeln wurde der neue Kunde in Empfang genommen. Eine mollige Wärme umgab sie und das Innere des Ladens war hell erleuchtet, überall hingen die verschiedensten Kleider, Westen und Anzüge. Vor allem jetzt, in der kalten Jahreszeit waren Mützen und Mäntel sehr begehrt. Die alte Frau, die hinter einem Tisch saß, war gerade dabei einen langen braunen Schal zu stricken, und musterte Sophia mit einem freundlichen Lächeln.

„Zwölf zum Gruße“, sprach das Mädchen und näherte sich der alten Frau.

Sophia sah, wie sie die Sticknadeln weglegte und sich langsam aus ihrem Stuhl erhob. Das faltige Gesicht der alten Dame war umrahmt von schneeweißen Haaren und ihre blauen Augen wirkten hell und freundlich.

„Zwölf zum Gruße“, entgegnete die Dame mit einer kräftigen Stimme.

Sophia kannte die Dame, es handelte sich um die Mutter der derzeitigen Besitzerin. Eigentlich hatte sie den Laden ihrer Tochter vermacht, doch war sie noch gesund genug, um hin und wieder auszuhelfen.

„Du möchtest dein Kleid abholen oder?“, fragte sie und mit kleinen Schritten ging sie zum Buch, in dem alle wichtigen Informationen eingetragen waren.

Mit angestrengten Augen versuchte sie, die Schrift zu entziffern.

„Meine Tochter hat es fertig gemacht, bevor sie nach Hallein abgereist sind“, erzählte sie, und wandte sich nach hinten zu dem großen Schrank, an dem eine Leiter stand.

Das Mobiliar war überfüllt, mit verschiedensten Stoffbündeln und halb fertigen Anzügen.

„Ah da ist es ja“, deutete die Alte nach ganz oben zu einem kleinen roten Stoffbündel.

Die Schneiderin war nicht mehr die Jüngste und das Besteigen einer Leiter kämme in ihrem Alter nicht in Frage. Deshalb bot Sophia ihre Hilfe an, doch Regentrude, wie sie genannt wurde, schlug das Angebot ab.

„So weit kommt es noch, dass Kunden in meinem Laden arbeiten müssen“, schimpfte sie lächelnd.

„Sandra!“, rief sie nun und wie aus dem nichts tauchte zwischen den Regalen, die zur Werkstatt führten ein weiblicher Kopf mit langen blonden Haaren auf.

Neugierig näherte sich das junge Mädchen, bekleidet mit einem dicken Wollpullover und einer einfachen Stoffhose, der Theke. Ohne irgendeinen Ton zu erzeugen, bewegte sie sich auf Regentrude mit einer solchen Anmut zu, wie Sophia es noch nie zuvor gesehen hatte.

„Ja?“, musterte jene die alte Dame mit ihren grünen Augen.

„Kannst du mir das rote Kleid von oben runter holen?“, bat die Regentrude freundlich und gleich darauf kletterte das Mädchen die Leiter hinauf.

„Ich wusste gar nicht, dass ihr auch lehrt“, bemerkte Sophia erstaunt, denn bisher hatte sie es noch nie erlebt, dass Regentrude Fremden ihr Handwerk beibrachte.

„Sei nicht albern, Sophia“, witzelte die alte Dame.

„Sandra ist nicht meine Schülerin, sie hilft mir nur.“

„Und dafür darf ich bei ihr wohnen“, fügte die lächelnd am und überreichte Sophia das gute Stück. Dankend nahm diese es entgegen und betrachtete es lange. Das Kleid bestand großteils aus rotem Stoff, mit weißen Verzierungen, war klassisch geschnitten und eignete sich sowohl für festliche Anlässe, als auch für den Besuch des Ingrim Tempel.

„Gefällt es dir?“, erkundigte sich die Regentrude neugierig.

Sophia nickte nur schwach, denn so schön hatte sie sich das Kleid nicht ausgemalt. Schnell zog sie die verabredeten Münzen aus ihrem Beutel und übergab sie der alten Dame.

„Hast du es für jemand besonderen gekauft?“, bohrte sie nach und als sie sah, dass die Kleine leicht errötete, wusste sie, dass sie ins Schwarze getroffen hatte.

„Ja für jemand ganz besonderen“, erwiderte Sophia und faltete das Kleid behutsam.

„Für wen denn?“

Verwundert blickte sie das junge Mädchen an. Eigentlich kannte Sophia sie kaum, aber ihr Geliebter, war auch nicht so wirklich das große Geheimnis. Sie erzählte der Gehilfin, von ihrem Vorhaben, für ihren diesen zu kochen.

„Da wird er sich aber freuen“, meinte sie mit einem leicht traurigen Unterton.

„Achja ich bin Sandra, tala.“

Freundlich hielt sie der Kleinen die Hand hin. Zunächst erwiderte Sophia die freundschaftliche Geste, doch sie wunderte sich sehr über die Aussprache des Mädchens.

„Kommst du aus dem Süden?“, erkundigte sie sich schließlich.

Sie kicherte und musterte Sophia lange.

„Ich komme aus dem Norden“, antwortete das Mädchen.

„Ah, Nürnberg“, dachte sich Sophia.

Sie hatte mehrmals schon mitbekommen, dass diese Barbaren für ihr goldenes Haar bekannt waren, jedoch sah sie nicht gerade wie eine ungesittete Barbarin aus.

„Was treibt dich so weit weg von der Heimat?“

Sophia war neugierig geworden. Sandra umgab eine geheimnisvolle Aura und irgendwie wollte sie mehr über das Mädchen erfahren. Während der Ausbildung hatte sie so gut wie keine Freundschaften geschlossen und sich stattdessen in ihre Arbeit vertieft. Wer weiß, vielleicht tat sie gut daran neue Menschen kennen zu lernen.

„Sie sucht hier ihren Traumprinzen“, neckte die Regentrude.

„Ja ja, die jungen Mädchen und die Liebe.“

Sandra wurde schlagartig rot.

„Stimmt doch gar nicht“, flüsterte sie und Sophia musste unwillkürlich lächeln.

Wie heißt er denn?“

Sandra blickte sie verlegen an und strich ihre langen Haare hinter ihre leicht spitz zulaufenden Ohren. Dann antwortete sie mit einem Lächeln:

„Er heißt Lucas.“

ENDE